MA SŒUR EST UNE

VAMPIRE

VOL EN SOLO

D1173195

MA SŒUR EST UNE
VAMPIRE

11

VOL EN SOLO

Sienna Mercer

Traduit de l'anglais par
Patricia Guekjian

Remerciements spéciaux à Chandler Craig

Copyright © 2012 Working Partners Limited
Titre original anglais : My Sister the Vampire, Book Eleven: Flying Solo
Copyright © 2014 Éditions AdA Inc. pour la traduction française
Cette publication est publiée en accord avec Working Partners Limited.

Éditeur : François Doucet
Traduction : Patricia Guekjian
Révision linguistique : Féminin pluriel
Correction d'épreuves : Nancy Coulombe, Katherine Lacombe.
Montage de la couverture : Sylvie Valois
Illustration de la couverture : © 2012 Paige Pooler
Conception de la couverture : Joel Tippie
Mise en pages : Sylvie Valois
ISBN papier : 978-2-89752-127-1
ISBN PDF numérique : 978-2-89752-128-8
ISBN ePub : 978-2-89752-129-5
Première impression : 2014
Dépôt légal : 2014
Bibliothèque et Archives nationales du Québec
Bibliothèque Nationale du Canada

Éditions AdA Inc.
1385, boul. Lionel-Boulet
Varennes, Québec, Canada, J3X 1P7
Téléphone : 450-929-0296
Télécopieur : 450-929-0220
www.ada-inc.com
info@ada-inc.com

Diffusion
Canada : Éditions AdA Inc.
France : D.G. Diffusion
Z.I. des Bogues
31750 Escalquens — France
Téléphone : 05.61.00.09.99
Suisse : Transat — 23.42.77.40
Belgique : D.G. Diffusion — 05.61.00.09.99

Imprimé au Canada

Participation de la SODEC.
Nous reconnaissons l'aide financière du gouvernement du Canada par l'entremise du Fonds du Livre du Canada (FLC) pour nos activités d'édition.
Gouvernement du Québec — Programme de crédit d'impôt pour l'édition de livres — Gestion SODEC.

Catalogage avant publication de Bibliothèque et Archives nationales du Québec et Bibliothèque et Archives Canada

Mercer, Sienna
     [Flying Solo. Français]
     Vol en solo
     (Ma sœur est une vampire ; 11)
     Traduction de : Flying Solo.
     Pour les jeunes de 8 ans et plus.
     ISBN 978-2-89752-127-1
     I. Guekjian, Patricia. II. Titre. III.Titre : Flying Solo. Français. IV. Collection : Mercer, Sienna. Ma sœur est une vampire ; 11.
PS8626.E745F5914 2014   jC813'.6   C2014-941637-7
PS9626.E745F5914 2014

Pour Rob, mon meilleur ami.

CHAPITRE 1

Ivy se cala dans sa chaise pivotante et posa ses bottes de combat luisantes sur son bureau en acajou, un cadeau que ses grands-parents lui avaient offert lors de sa première journée au pensionnat ultra huppé qu'elle fréquentait désormais.

Le comte et la comtesse Lazar lui avaient alors dit : « Tu ne peux pas recevoir une éducation convenable dans une école convenable sans avoir un endroit convenable où étudier. » Apparemment, un bureau antique aussi lourd qu'une petite locomotive était la seule chose qui pouvait convenir. Des chauves-souris miniatures étaient gravées dans le riche bois et le meuble était décoré de poignées de fer en forme de « V ». Ivy se pencha et donna un petit coup sur le dessous du bureau; un compartiment secret s'ouvrit et elle en sortit sa nouvelle carte d'étudiante toute brillante, sur laquelle on pouvait voir une photo d'elle plutôt gênante affichant un étrange sourire doublé d'un froncement de sourcils.

Elle s'était beaucoup questionnée quant à son inscription à l'Académie Wallachia de Transylvanie. Être une vampire n'était déjà pas chose facile, mais être une vampire adolescente dont les pouvoirs connaissaient une poussée de croissance imprévue? C'était là un défi encore plus grand, voire quasi insurmontable. C'est pourquoi ses grands-parents avaient suggéré qu'elle devienne pensionnaire dans cette académie où de nombreuses générations de sa famille avaient appris à perfectionner leurs extraordinaires pouvoirs. Mais cela comportait un énorme désavantage pour Ivy, elle qui ne voulait ni laisser sa jumelle ni se retrouver loin de Brendan, son petit ami. On avait cependant réussi à la convaincre de quitter Franklin Grove.

« Et je vais en profiter au maximum, se dit-elle en regardant le vaste terrain de l'établissement. Coûte que coûte. »

rester immobile afin de s'assurer qu'il ne la voie pas.

« Je ne veux surtout pas le déranger. Si jamais il se casse un os, ce ne sera pas de ma faute ! »

Ce dernier fit trois pas vers l'arrière, quittant momentanément son champ de vision, avant d'avancer à toute vitesse, les bras levés dans les airs telle une grue blanche dérangée.

« Hiiiiyaaaaaaah ! » cria-t-il en assénant un grand coup sur la planche du tranchant de la main.

Ivy grimaça lorsque monsieur Abbott recula en secouant une main toute rouge. Ce dernier ramassa alors la planche et la retourna.

« Comme si ça allait aider… », se dit Ivy.

Elle voulait se couvrir les yeux, mais en était incapable ; c'était comme être témoin d'un accident de voiture imminent.

Monsieur Abbott s'encouragea de nouveau avant de se donner un nouvel élan.

« Hiiiiyaaaaaaah ! » répéta-t-il.

Cette fois-ci, sa main frappa le bois avec une telle force qu'il en perdit pied et glissa vers l'arrière, tombant durement sur le paillis du jardin.

— Désolée, dit Olivia en apparaissant soudainement à l'écran.

Elle remuait une cuillère dans un grand bol de céréales. Ses cheveux étaient ramassés en une queue de cheval lisse et elle portait un foulard violet autour du cou.

— Où en étions-nous?

— Euh, Olivia? dit Ivy en pointant par-dessus l'épaule de sa jumelle. Est-ce que ton père va bien?

Monsieur Abbott se débattait de toutes ses forces pour se retourner; sa ceinture blanche, jadis attachée autour de son front, avait malencontreusement glissé sur ses yeux.

— Est-ce que je l'ai cassée? gémit-il en se relevant.

— Pas cette fois-ci, lui lança joyeusement Olivia avant de se retourner vers son ordinateur. Ne t'en fais pas, chuchota-t-elle à l'intention d'Ivy. Il essaie désespérément d'obtenir sa ceinture jaune. Il travaille sur cette planche depuis le début de la semaine, mais il ne s'est pas encore cassé un doigt.

Elle haussa les épaules.

— Alors, comment ça va de ton côté?

— Eh bien, dit Ivy en prenant son ordinateur portable dans ses mains, veux-tu que je te fasse faire le tour du propriétaire ?

— Absolument ! Sauf que là, tout ce que je vois, c'est un gros plan de ta joue.

— Oups ! Désolée.

Ivy éloigna la webcam de son visage ; elle l'avait tenue dans ses mains tandis qu'elle faisait pivoter sa chaise sur elle-même. Elle ajusta la caméra vidéo et l'écran de son portable afin de mieux capter son environnement.

— C'est mieux comme ça ?

— Beaucoup mieux !

— Bon, alors voici mon placard, dit Ivy en tentant de passer rapidement outre le désordre de celui-ci.

Ce fut toutefois en vain ; sa sœur n'était pas si facile à duper.

— Ivy Vega ! s'exclama Olivia. Est-ce que c'était vraiment ton placard ça ? On dirait qu'il a été frappé par une tornade ! Recule, recule, je veux voir l'ampleur de cette horreur !

Bien malgré elle, Ivy se redirigea lentement vers son placard ; des t-shirts, des jeans cigarette et des leggings froissés jonchaient le sol.

— Ce n'est pas ma faute! protesta Ivy. Tout est trop coincé ici, tu vois? dit-elle en faisant un geste théâtral de la main. Voici le reste de ma chambre. C'est-à-dire, *la* chambre que je partage avec cinq autres filles.

Elle montra à Olivia les six cercueils disposés les uns par-dessus les autres sur des montants en bois, pareils à des lits superposés aux couvercles tapissés de velours.

Des montages de photos représentant ses camarades de chambre et des affiches rétro branchées de films hollywoodiens en noir et blanc étaient affichés au-dessus de chaque cercueil, et chaque fille disposait d'une plaque en argent sur laquelle son nom était gravé en lettres de fantaisie — *Petra, Katrina, Anastasia, Alexandra, Galina* et *Ivy*. Cette dernière avait personnalisé son espace en y ajoutant une série de photos que Brendan, Olivia et elle avaient prises dans le kiosque à photos situé à l'extérieur du cinéma de Franklin Grove. Ivy figurait au centre de chaque image et affichait une grimace de dégoût exagérée tandis que Brendan et Olivia l'embrassaient sur chaque joue en écrasant son visage.

« Le bon vieux temps », se dit Ivy en sentant soudainement son estomac se nouer.

— Oooh ! s'exclama Olivia. Tu as des camarades de chambre ! Est-ce que tu les aimes ? Est-ce que vous restez debout très tard pour placoter ou pour jouer à Secrets et mensonges ?

Olivia pensait au jeu auquel elles avaient joué lors de la Célébration du cœur solitaire de Tessa.

Ivy fronça les sourcils.

— Elles sont correctes, mais ce n'est pas exactement un arrangement à la Ivy, si tu vois ce que je veux dire. Six filles, six cercueils. Ça veut dire beaucoup de bavardage, surtout une fois les clous plantés.

— Les clous ? répéta Olivia.

— Une fois les lumières éteintes, expliqua Ivy en retournant la caméra vers elle.

— Ah, je vois ! dit Olivia en ricanant. Tu n'es déjà pas exactement mademoiselle sourire en général, alors quand tu manques de sommeil, tu dois faire peur même aux vampires les plus endurcis !

Sur ces mots, les yeux d'Olivia s'écarquillèrent tels ceux d'un personnage de manga — style littéraire d'ailleurs fort peu populaire en Transylvanie. On y trouvait seulement des romans russes classiques et des ouvrages de poésie victorienne.

— OK, OK, très drôle! Tu peux laisser tomber ta fausse expression de terreur, dit Ivy en levant ses yeux lourdement maquillés vers le plafond. Je ne suis sûrement pas *si* effrayante que ça, surtout à des milliers de kilomètres de distance et à travers une webcam.

Les yeux d'Olivia étaient toujours écarquillés, mais elle secouait maintenant doucement la tête.

— Non, non, ce n'est pas ça, dit-elle d'une voix éteinte. Je ne veux pas t'inquiéter, mais — elle toucha l'écran du bout du doigt — je crois qu'il y a une chauve-souris dans ta chambre!

Ivy se retourna pour observer la chauve-souris perchée sur le dessus de son armoire. Ses ailes minces comme du papier étaient enveloppées autour de son corps brun duveteux et ses oreilles pointues étaient dressées sur sa tête comme celles d'un lutin.

Ivy haussa les épaules.

— Oh, ne t'inquiète pas, c'est juste Ivan.

— Ivan? dit Olivia en se retroussant le nez comme si elle venait de renifler des déchets vieux d'une semaine.

— Oui, tout le monde reçoit une chauve-souris lors de sa première journée à Wallachia. Ivan est inoffensif, mais un peu... Quel est le mot ? dit-elle en enfonçant un doigt dans sa fossette en faisant mine de réfléchir très fort. *Mordilleux.*

Olivia frissonna. C'est du moins ce qu'Ivy avait cru voir, mais c'était peut-être simplement un problème de connexion Internet. Elle commençait déjà à en avoir assez des problèmes de communications outre-mer.

— Sans vouloir t'offenser, dit Olivia, je crois que, si c'est effectivement le cas, je ne courrai pas te voir de sitôt !

Ivy déglutit avec difficulté. Elle savait que sa sœur blaguait, mais elle ne voulait pas la laisser voir que ses dires lui avaient instantanément donné le mal du pays.

— En tout cas, dit Ivy en tentant de se donner un air naturel, la cloche du souper ne va pas tarder à sonner. Est-ce que tu seras en ligne tout à l'heure ?

— Probablement. J'ai promis d'aider notre bio-papa avec un genre de « projet de recherche », dit Olivia en mimant des guillemets dans les airs, l'air dubitatif. Je ne suis pas trop sûre de ce que ça veut dire, mais ça ne devrait pas me prendre plus de quelques heures. Je reviendrai tout de suite après, continua-t-elle en lui envoyant la main. Oh, Ivy?

Ivy se pencha vers l'avant.

— Ouais?

— Tu me manques.

Ivy sourit faiblement en lui adressant un petit signe de la tête.

— Tu me manques aussi.

Son estomac lui parut remonter vers sa gorge lorsqu'elle étendit le bras pour s'emparer de la souris de son portable.

— Ciao!

La fenêtre de clavardage se referma et Ivy éteignit son ordinateur. Ce n'était pas qu'elle n'aimait pas Wallachia, mais elle aimait *beaucoup* Franklin Grove. Elle prit le chandail à torsades noir et arborant l'armoirie de Wallachia qui traînait sur le dossier de sa chaise, flatta la tête d'Ivan et retira sa main rapidement lorsque ce dernier tenta de la mordre.

— Attention! s'écria-t-elle en lançant un regard foudroyant à la chauve-souris aux yeux de fouine.

« Mes doigts ne seraient absolument *pas* une délicieuse collation! se dit-elle en envoyant des messages subliminaux au petit mammifère à la peau de cuir. N'y pense même pas. »

— Je pars, annonça-t-elle finalement en se dirigeant vers la porte.

Après tout, à quoi bon rester toute seule à s'ennuyer dans son coin alors qu'il y avait toute une école à explorer ?

★ 🦇 ★

La salle à manger de l'Académie était plus luxueuse que la plupart des restaurants dans lesquels Ivy était allée. La salle de banquet était parsemée de tables rondes en granite sur lesquelles se reflétait la lumière d'une douzaine de chandeliers scintillants. Des gobelets en cristal projetaient des prismes multicolores sur les luxueuses nappes couleur crème, et les tables étaient recouvertes de coutellerie baroque et de vaisselle en porcelaine plus élégante encore que celle que son père conservait précieusement dans son buffet à la maison.

Petra, une camarade de classe qu'Ivy avait rencontrée lors du mariage royal, lui fit signe de se joindre à elle à une table située à proximité. Trois tranches de steak de bavette quasi intactes étaient empilées dans l'assiette de cette dernière et recouvertes d'une sauce blanche crémeuse qui mit immédiatement Ivy en appétit.

— Hé, Ivy! lança Petra, qui portait un pendentif rétro très branché à son cou. Est-ce que tu t'es mise dans le pétrin aujourd'hui?

Petra Tarasov n'était certes pas comme les autres snobinardes de Wallachia, mais Ivy la trouvait tout de même difficile à cerner par moment. Elle était amicale, mais on aurait dit qu'il y avait comme un mur invisible entre elles, une sorte de secret dont Ivy ignorait tout. Elle avait de longs cheveux bruns lustrés qui descendaient en cascades jusqu'au milieu de son dos, et elle dotait toujours son uniforme d'une touche stylée ou excentrique. Chose certaine, elle ne semblait pas du tout prête à se métamorphoser en un clone de Wallachia; Ivy et elle avaient donc au moins un point en commun.

— Dans le pétrin? Pourquoi je me serais mise dans le pétrin? lui demanda Ivy en se glissant sur le bout d'un siège.

Petra fit battre ses longs cils et leva les sourcils.

— Oh, je ne sais pas, rétorqua-t-elle en haussant les épaules. C'est juste le bruit qui court.

Ivy plissa les yeux, l'air interrogateur.

— Le bruit qui court?

Bon, d'accord, il était évident qu'elle allait devoir faire attention avec Petra, mais elle n'allait pas non plus faire une croix sur elle. Après tout, tout le monde a des bons et des moins bons côtés; c'est ce qu'Olivia n'avait de cesse de lui répéter. Elle l'entendait encore lui dire : « Tout le monde a un rayon de soleil dans son cœur, Ivy. Tu n'as qu'à le trouver.» En temps normal, un discours aussi mielleux lui aurait assurément donné la nausée, mais plus maintenant.

« Je jure de ne plus jamais faire de commentaires sarcastiques si je remets les pieds à Franklin Grove», se promit-elle.

Un peu plus loin, un groupe de filles était rassemblé autour d'un ordinateur portable, ricanant à gorge déployée. Ivy put distinguer, sur leur écran, un visage au sourire blanc éblouissant et à la chevelure blonde ébouriffée. Petra fit claquer sa langue et leva les yeux au ciel.

— Ridicule, n'est-ce pas?

— Qu'est-ce qui est ridicule ? demanda Ivy en s'étirant le cou afin de mieux voir ce dont il était question.

Les vampires, tout particulièrement ceux qui fréquentaient l'Académie Wallachia, étaient censés être les êtres les plus *cool* de l'univers. Se comporter de manière froide et distante était presque un sport national pour eux. Qu'est-ce qui pouvait bien être à ce point amusant pour transformer les camarades de classe d'Ivy en un groupe de fi-filles surexcitées ?

Petra fit un geste de la main comme pour balayer la scène.

— Ça a sûrement quelque chose à voir avec cet acteur américain qui a annoncé aujourd'hui qu'il était redevenu célibataire. Maintenant, elles pensent toutes qu'elles ont une chance avec lui, expliqua-t-elle en pressant ses paumes ensemble et les positionnant sur le côté de sa tête en faisant mine de rêvasser.

« Un acteur américain ?... », songea Ivy en s'emparant du bras de Petra avec une telle force qu'elle faillit la faire tomber en bas de sa chaise.

— Quel acteur ? lui demanda-t-elle avec effroi.

Petra se dégagea rapidement de son emprise et frotta vigoureusement son bras.

— Wow, tu dois vraiment apprendre à contenir cette puissance, lui dit-elle. C'est ce joli garçon aux cheveux blonds, tu sais, comment il s'appelle encore…

Elle fit claquer ses doigts en réfléchissant.

— Jackson quelque chose?

— Non! s'exclama Ivy. Pas Jackson! Jackson Caulfield?

Olivia n'en avait pourtant pas glissé mot pendant leur clavardage vidéo. Elle n'avait même pas eu l'air triste!

— Ça va, l'obsession?

Une femme, membre du personnel de cuisine de l'Académie et vêtue d'un sarrau blanc, s'approcha du petit groupe avec un pichet de O-négatif et remplit leurs gobelets en cristal du liquide rouge vif.

— Je ne comprends pas cet intérêt soudain, poursuivit-elle. La rupture n'a même pas été dramatique. Le communiqué de presse disait que le tout s'était réglé «à l'amiable»… ça n'a rien de bien amusant!

— Amusant? lança Ivy d'une voix aiguë. Ce n'est *pas* amusant!

Petra fixait Ivy comme si des tentacules de pieuvre lui sortaient des oreilles, mais Ivy n'eut pas le temps de s'expliquer. Elle se précipita hors de la salle à manger et gravit les escaliers en quatrième vitesse, traversant rapidement le corridor en lambris qui menait vers son dortoir.

Elle claqua la porte de sa chambre partagée, sauta sur sa chaise pivotante, s'approcha de son ordinateur, l'alluma et démarra *Écho solitaire*.

— Olivia ? dit-elle en déplaçant nerveusement sa souris. Olivia ?

Mais Ivy ne pouvait voir que l'image du jardin désert de la demeure de sa jumelle. Aucun signe d'Olivia. Son cœur fit trois tours et lui retomba dans les talons ; sa pauvre sœur avait le cœur brisé et elle avait passé tout son temps avec elle à lui parler de sa petite personne et à lui montrer de stupides piles de vêtements.

« Mais quelle sorte de jumelle est-ce que je suis ? » se demanda-t-elle.

Elle était pourtant censée avoir un sixième sens pour ce genre de chose. Mais, plus important encore, pourquoi Olivia ne lui avait-elle rien dit ? Cacher ses émotions n'était généralement pas dans ses habitudes ; c'était plutôt là la spécialité d'Ivy.

Un bruit de pas en provenance de la cour arrière se fit alors entendre à travers le moniteur. Ivy s'approcha pour mieux entendre et laissa échapper un long soupir de soulagement. Sa sœur était revenue après tout.

— Hé, Olivia ! appela-t-elle. Pourquoi ne m'as-tu pas dit pour toi et Ja…

— Oh, bonjour, Ivy !

Le visage de monsieur Abbott apparut à l'écran alors que celui-ci se penchait au-dessus de l'ordinateur, et Ivy faillit se mordre la langue en tentant de s'empêcher de terminer sa phrase.

— Euh… mmh… Bonjour, Monsieur Abbott, bégaya finalement Ivy.

Ce dernier leva un doigt dans les airs pour lui faire signe d'attendre, puis se plaça correctement devant l'écran.

— Ah, c'est mieux comme ça ! dit-il.

Ivy était heureuse de voir qu'il avait troqué son ensemble de karaté pour un débardeur bordeaux et un pantalon à plis kaki. C'était beaucoup plus approprié pour un papa de banlieue.

— Je suis content de te voir, Ivy. Comment trouves-tu ton pensionnat de luxe ? Tu t'y plais ?

— Oui, oui, définitivement, répondit rapidement Ivy en tentant de voir au-delà de la tête de monsieur Abbott, qui semblait prendre la totalité de l'écran. Où est Olivia ? demanda-t-elle précipitamment avant qu'il ne puisse lui poser une autre question.

— Olivia ? répéta-t-il en se frottant le menton et en lançant un regard derrière lui en direction de sa maison. Elle est partie se coucher. Elle est très fatiguée dernièrement ; je crois qu'elle a été très occupée ces derniers jours.

Ivy se sentait plus défraîchie qu'une pinte de lait périmée depuis une semaine. Elle savait exactement pourquoi Olivia était soudainement si fatiguée, mais il était évident que monsieur Abbott, lui, l'ignorait. Malheureusement, elle ne pouvait le lui dire, parce que sinon, elle enfreindrait le code des jumelles. De plus, ce n'était pas à elle de lui annoncer une telle nouvelle.

— D'accord, Monsieur Abbott, soupira Ivy. Je la verrai plus tard alors.

Ivy s'étirait lentement pour fermer sa fenêtre de clavardage lorsqu'il lui demanda :

— Alors, quoi de neuf à l'école?

Ivy, surprise, se figea un instant en s'efforçant de ne pas grimacer. Monsieur Abbott pouvait être très... bavard. Elle n'eut donc d'autre choix que de se laisser retomber dans sa chaise, mais constata rapidement que le père d'Olivia la regardait d'un air soudainement bien différent.

— Chut! lui dit-il en pressant un doigt devant ses lèvres plissées, les yeux rivés sur quelque chose derrière elle. Je ne veux pas t'inquiéter, reprit-il en chuchotant, mais je pense que je vois une chauve-souris dans ta chambre.

Ivy s'apprêtait à lui dire de ne pas s'inquiéter, mais elle s'arrêta brusquement.

— Vous savez, dit-elle en s'approchant de l'écran afin de pouvoir éteindre subtilement son ordinateur dès qu'elle en aurait l'occasion, je crois que j'aurais préféré ne pas le savoir. Ouais, euh... Hé, est-ce que quelqu'un peut m'aider?

Elle se leva brusquement en faisant bruyamment reculer sa chaise et en agitant les mains afin de faire signe à des camarades de classe imaginaires.

— Dépêchez-vous! Je déteste cette chauve-souris!

Monsieur Abbott n'avait pas à savoir que la petite créature chétive qui se tenait dans sa chambre ne lui faisait pas du tout peur — du moins, pas depuis qu'elle avait réussi à éviter de se faire malmener par elle.

— Il faut vraiment que j'y aille... tout de suite! dit Ivy en se mettant à respirer bruyamment et en écarquillant les yeux pour feindre la terreur. Je sens que je vais faire une crise de panique...

— Ivy, est-ce que tout va bien? commença monsieur Abbott.

— J'irai mieux dans un instant, j'ai juste besoin de m'allonger un peu! dit-elle. Je dois vraiment y aller maintenant!

Et, d'un mouvement net, elle éteignit son portable avant de se laisser retomber dans son fauteuil.

— Au revoir, Monsieur Abbott, murmura-t-elle en secouant la tête.

«Qu'est-ce que je ne ferais pas pour garder les secrets d'Olivia?»

CHAPITRE 2

LES FILLES, RÉJOUISSEZ-VOUS! JACKSON CAULFIELD
EST ENFIN CÉLIBATAIRE!

Olivia laissa retomber lourdement sa revue sur son lit.

«Les ruptures sont déjà assez difficiles sans l'humiliation publique qui vient avec», se dit-elle.

Au moins, les tabloïdes ne mentaient pas cette fois-ci. Sa rupture avec Jackson s'était bel et bien déroulée à l'amiable, mais Olivia ne pouvait s'empêcher d'être triste chaque fois qu'elle y pensait trop longtemps. Chose certaine, cette épreuve lui faisait remettre sérieusement en question son abonnement à la revue *Vedettes à volonté*.

Son téléphone se mit alors à vibrer sur sa table de chevet. Elle le ramassa et vit qu'elle avait reçu un message texte de la part de Jackson qui disait : *Ça va ?*

Olivia reposa sa tête sur son confortable oreiller en duvet. Elle commença à taper les mots « Pas vraiment », mais se ravisa et supprima le tout d'un habile geste du pouce. Elle n'allait certes pas commencer à jouer les demoiselles en détresse. Elle était peut-être une actrice prometteuse, mais c'était assurément là le dernier rôle qu'elle souhaitait obtenir. Ce n'était pas facile à avouer, mais, avec le recul, elle se rendait bien compte que sa relation avec son petit ami — ou plutôt son ex petit ami — était sur le déclin depuis un bon moment déjà.

« Et ce, même si je ne voulais l'admettre ni à moi ni à lui », se dit-elle.

Jackson avait été vraiment occupé avec ses tournées promotionnelles et ils avaient eu très peu de temps ensemble. Les appels s'étaient ainsi graduellement faits de plus en plus rares et les courriels, de plus en plus courts.

Qui plus est, lors de son voyage en Transylvanie, à l'occasion du mariage royal, Olivia avait attrapé la fameuse rose libre de l'été au vol. Le prince Alex lui avait raconté la légende rattachée à cette fleur, dont la couleur avait une signification bien particulière. Celle qui avait flotté vers Olivia lors d'une journée particulièrement venteuse était bleue, ce qui, selon la légende vampirique, signifiait que son détenteur vivait un amour impossible.

Enfin, lorsqu'elle avait revu Jackson pour la première fois à son retour, il avait été le premier à admettre ce qui était désormais une évidence pour tous.

— On devrait peut-être faire un bout de chemin séparément pour un temps, lui avait-il dit doucement.

Olivia s'était préparée à sentir son cœur se briser en mille morceaux, mais la seule chose qu'elle avait ressentie était... du regret. Elle était certaine qu'un jour viendrait où ils regretteraient tous deux d'avoir laissé passer cette opportunité, mais que pouvaient-ils contre sa popularité et sa carrière? Absolument rien, et c'est pourquoi ils avaient décidé de repousser leur prochaine rencontre de façon indéfinie.

«Adieu, conte de fées», se dit-elle en fixant son cellulaire.

Elle se ressaisit néanmoins rapidement en se disant que Jackson attendait toujours une réponse de sa part.

Elle se décida donc à écrire : *Toute publicité est une bonne publicité, n'est-ce pas ? ;-)*

Une barre verte défila sur l'écran de son téléphone ; son message avait bien été envoyé ! Elle retint son souffle, puis son téléphone émit un ding.

Ha Ha.

Olivia ne put s'empêcher de sourire en voyant la réponse de Jackson.

Mais merci quand même de t'être informé, ajouta-t-elle.

Elle aurait évidemment souhaité que son histoire avec Jackson se poursuive, mais elle était heureuse de constater qu'il était toujours gentil avec elle ; il fallait bien voir le bon côté des choses.

Le téléphone d'Olivia émit un autre signal sonore ; elle s'empressa donc de le récupérer, pensant qu'il s'agissait d'un autre message texte de Jackson, mais son cœur se fit lourd lorsqu'elle vit qu'il s'agissait plutôt de son père biologique.

Est-ce que tu viens toujours faire un tour ?

« Faire un tour ? Zut ! se dit-elle en regardant sa montre. Je suis en retard ! »

Olivia s'empara de son nouveau fourre-tout en vitesse et sortit de la maison en courant. « Ouf ! » Elle s'arrêta un instant sur le trottoir, les mains appuyées sur les genoux, tentant désespérément de reprendre son souffle.

« Je ne suis qu'une seule personne, se dit-elle, et épuisée en plus. »

Elle avait déjà passé toute la journée à aider sa mère à faire le ménage et elle se retrouvait maintenant à courir en direction de chez Charles pour l'aider avec un projet de recherche mystérieux. Elle n'aimait pas dire non aux gens, mais ses parents ne voyaient-ils pas qu'elle n'était pas une machine ? Au moins, le fait de rester occupée l'empêchait de trop penser à Jackson.

« Mais pourquoi Charles ne veut-il pas me dire quelle sorte de recherche je vais faire ? »

Il ne la laissait pas entrer dans le bureau où il effectuait ses analyses et il refusait de lui dire pourquoi il avait besoin de telle ou telle information. Il ne faisait qu'installer Olivia devant un ordinateur et lui demander, de temps en temps, de chercher des choses variées sur le Web comme le climat de la Nouvelle-Zélande ou le chemin le plus rapide pour traverser l'Australie en train depuis Melbourne jusqu'à Sydney !

Depuis qu'Ivy était partie en Transylvanie, Olivia accomplissait le travail de deux filles et, malgré ses trois années d'expérience en tant que meneuse de claques, elle devait bien admettre que tout ce travail en double commençait à mettre drôlement à l'épreuve son énergie et son entrain. La preuve, elle portait actuellement une robe *grise* — certes, elle était agencée à un foulard fuchsia, mais elle était tout de même grise! Si son humeur commençait déjà à déteindre sur son sens du style, Olivia savait qu'elle risquait la dépression d'ici peu.

«Je mettrai mes jeans cigarette violets demain. Ça devrait aider un peu.»

Olivia ne blâmait pas Ivy d'avoir choisi de fréquenter Wallachia; elle savait que sa sœur devait apprendre tout ce qu'elle pouvait sur son identité vampirique. Pendant très longtemps, Olivia n'avait rien su de son héritage, alors elle comprenait à quel point c'était important pour Ivy.

Alors qu'elle tournait le coin de la rue menant à la demeure des Vega, une fille sortit à toute vitesse de derrière un mur voisin. Olivia entra donc directement en collision avec elle, tête première.

— Aïe! fit-elle en reculant et en se frottant la tête.

— Oh, je suis désolée, dit la fille d'une voix forte en regardant tout autour d'elle.

Elle était mince et avait environ le même âge qu'Olivia. Elle portait des jeans bleus évasés et une blouse ample fleurie qu'Olivia n'était pas certaine d'aimer.

— Non, non, c'est moi qui suis désolée, répondit Olivia. Mon cerveau est en vacances aujourd'hui.

— C'est pas grave, dit la fille en ajustant la courroie de son sac boho garni d'une frange. Je m'appelle Holly Turner. Je pense qu'on s'est déjà vues à l'école.

Elle tendit une main en avant et Olivia la saisit en remarquant les motifs psychédéliques peints sur ses ongles. Elle avait de longs cheveux d'un blond vénitien. Sa complexion était pâle — pas autant que celle d'Ivy, mais elle avait au moins le teint aussi clair que celui des actrices dans ces films de Jane Austen qu'Ivy refusait catégoriquement de regarder avec Olivia lorsqu'elles se faisaient des soirées pyjama.

— L'école secondaire de Franklin Grove? demanda Olivia tout en essayant de recoller les morceaux dans sa tête.

Elle connaissait presque tout le monde maintenant, mais elle ne se souvenait pas d'avoir déjà vu Holly là-bas.

— Mmh mmh, acquiesça Holly en jouant avec le petit appareil photo numérique sophistiqué qui pendait autour de son cou. Ma famille a emménagé ici il n'y a pas très longtemps. En fait, puisque je suis nouvelle dans le quartier, je me demandais si tu aimerais aller au Monsieur Smoothie et prendre un Bleuet beauté bonifiée avec moi. J'ai vu le menu lorsque je suis passée devant et ça avait l'air tellement exotique !

— Hé ! C'est mon préféré ! Tu as très bon goût, dit Olivia en riant.

— Ça, je ne sais pas, répondit Holly en riant, mais j'aime toutes les choses qui sont différentes ou inhabituelles — la nourriture comme les endroits — et tout ce qui est nouveau pour moi ! Ma mère dit que c'est pour ça que je serai une très bonne journaliste. Je m'intéresse vraiment à absolument tout !

Olivia avait presque oublié qu'elle avait déjà des engagements pour la journée — presque, mais pas tout à fait. Elle se souvint soudainement de sa promesse envers son bio-papa et répondit :

— Oh, c'est vraiment dommage. J'aurais vraiment beaucoup aimé t'accompagner, mais je m'en allais chez ma sœur.

— Oh, dit Holly avec une pointe de déception dans la voix.

Olivia entendit son souffle se couper, puis elle reprit de plus belle :

— J'aimerais beaucoup rencontrer ta sœur, dit-elle avec espoir. J'ai entendu dire qu'elle était vraiment cool. Elle vit en Transylvanie en ce moment, n'est-ce pas ? C'est vraiment trop cool !

« Elle a entendu parler d'Ivy ? Wow, est-ce que sa réputation s'étend vraiment autour du globe ? À moins que quelqu'un ait renseigné cette fille depuis son arrivée ici », se dit-elle.

— Très cool, répondit Olivia en croisant les doigts derrière son dos pour mieux faire passer son mensonge.

« Être séparée de ma jumelle est tellement loin d'être cool, mais Holly n'a sûrement pas envie d'entendre ça. »

— La Transylvanie est un endroit fantastique et très exotique. Tu aimerais sûrement ça autant qu'Ivy ! Tu me fais un peu penser à elle d'ailleurs. Elle est un peu du genre *underground* elle aussi, mais d'une manière totalement différente. Ma sœur est plutôt gothique, tu vois. Mais ça lui va bien, tout comme toi !

Elle s'approcha de Holly et toucha délicatement son bras pour lui faire comprendre qu'il s'agissait d'un compliment. Les joues pâles de cette dernière rougirent légèrement.

— Cool, répondit Holly en ouvrant et en refermant distraitement la lentille de son appareil photo. Je veux dire, merci.

— Tu aimes la photographie ? lui demanda Olivia en pointant son appareil.

— Ouais, eh bien, comme je te l'ai dit, j'aimerais être journaliste, marmonna Holly. Je n'ai pas encore véritablement d'expérience, mais j'y travaille. Une exclusivité, c'est tout ce dont j'ai besoin.

Ses yeux s'illuminèrent alors comme si elle venait d'avoir l'idée du siècle.

— Hé ! commença-t-elle.

— C'est pas vrai ! dit Olivia en joignant ses mains ensemble et en les portant à ses lèvres. C'est trop bizarre... ma sœur veut aussi être journaliste !

Elle aurait bien aimé lui raconter leur expérience en tant que journalistes invitées pour la revue *Vamp*, mais cette information était malheureusement top secrète.

— Vraiment? lui demanda Holly. Elle pourrait totalement obtenir des exclusivités en Transylvanie. Tous ces vampires qui n'attendent que d'être interviewés!

Olivia sentit un brin d'appréhension monter en elle, mais s'efforça de garder le sourire.

— Tu sais que les vampires n'existent pas, n'est-ce pas?

Holly sourit.

— Bien sûr! Je blaguais. Mais peut-être que ta sœur pourrait aider une autre journaliste en herbe. Est-ce que tu penses qu'elle me laisserait l'interviewer sur son expérience en Transylvanie? Pourrais-tu le lui demander la prochaine fois que tu lui parleras?

Holly s'était soudainement tellement rapprochée d'Olivia que cette dernière n'eut d'autre choix que de reculer brusquement.

— Mais, attends une minute, dit Holly en plissant le front. Si ta sœur est en Europe, alors pourquoi vas-tu chez elle? Vous ne vivez pas dans la même maison? Je veux dire, vous êtes jumelles, n'est-ce pas?

Olivia sentit son visage rougir.

— Mmh, c'est compliqué, répondit-elle.

Elle aimait bien Holly, mais elle n'allait pas l'embarquer dans tout ça! Elle n'avait pas le temps d'inventer une explication et, de toute manière, il aurait fallu qu'elle lui mente et elle préférait éviter ça, dans la mesure du possible bien entendu.

— Je dois simplement aller donner un petit coup de main dans la maison, répondit Olivia en évitant la question du mieux qu'elle le pouvait.

« Ce n'est pas un mensonge de toute façon. Enfin, pas vraiment!» se dit-elle.

Holly accrocha ses pouces dans les ganses de ses jeans et haussa les épaules.

— Une autre fois alors?

— Tu rigoles? Absolument!

Olivia espérait qu'elle n'en mettait pas trop côté enthousiasme, mais c'était toujours agréable de se faire de nouveaux amis, et Holly était pratiquement un double d'Ivy — en un peu moins bougon, on s'entend.

— À plus tard, alors! dit Holly.

— C'est sûr! répondit Olivia avant de se retourner pour gravir rapidement le trottoir en pente qui menait au sommet de la colline et au cul-de-sac dans lequel se trouvait la maison d'Ivy. Lorsqu'elle lança un regard par-dessus son épaule, elle vit que Holly était toujours debout au même endroit et qu'elle la regardait fixement. Olivia lui envoya la main, hésitante.

«Elle est nouvelle en ville. Elle doit probablement s'ennuyer et se sentir seule», se dit-elle en regardant la fille reprendre finalement sa route.

Quelques instants plus tard, elle sonnait à la porte de monsieur Vega. Un extrait du *Requiem* de Mozart résonna alors dans toute la demeure.

«Ah, les vampires et leur musique classique, se dit Olivia. C'est tellement vieux jeu!»

Les lourdes portes gothiques s'ouvrirent, et Charles sortit doucement la tête.

— Bonjour, Olivia.

Ses cheveux, habituellement soignés, étaient hérissés dans tous les sens et sa chemise bleu nuit était étrangement froissée.

«Est-ce qu'il a brisé son fer à repasser ou quoi?»

On aurait dit qu'il n'avait pas dormi dans son cercueil depuis des lustres.

— Papa! s'exclama Olivia en faisant exprès de le toiser de la tête aux pieds d'un air insistant. Mais sur quoi est-ce que tu travailles ? Tu as l'air... eh bien... disons que tu n'as pas l'air aussi suave que d'habitude !

En temps normal, Charles était l'un des hommes les plus élégants qu'elle connaissait ; il aurait aisément pu figurer sur la page couverture d'une revue pour hommes. Mais aujourd'hui ? Sûrement pas !

Il lui fit signe d'entrer, et Olivia vit que la table de la salle à manger était complètement recouverte de paperasse.

— Ne t'en fais pas pour ça, lui dit-il rapidement. Est-ce que tu peux me chercher des informations sur la faune australienne et les dangers qu'elle pose pour les voy...

Olivia prit son visage à deux mains.

— Oh... mon... Dieu..., dit-elle en le pointant du doigt et en souriant de toutes ses dents.

— Non, non, non, rétorqua-t-il en passant nerveusement ses doigts dans ses cheveux. Ce n'est pas ce que tu...

Mais c'était trop tard !

— Tu allais dire « voyageurs », n'est-ce pas ? insista Olivia en plissant les yeux. Mais pourquoi est-ce que tu songerais à aller en Australie et en Nouvelle-Zélande ?

À moins que… à moins que… Est-ce que tu planifierais… *une lune de miel*?!

Sur ces mots, Olivia sauta dans les airs en poussant de petits cris surexcités.

— Du calme, du calme, lui dit Charles en faisant de grands signes de ses mains.

Mais c'était peine perdue; elle ne pouvait s'empêcher de crier et, de toute façon, ce n'était pas comme si quelqu'un pouvait l'entendre.

Elle finit néanmoins par se calmer un peu et essuya une larme au coin de son œil.

— Je suis tellement heureuse! Tu vas te marier avec Lillian!

Lillian étaie une vampire ultra sophistiquée que Charles avait rencontrée lorsqu'Olivia avait foulé le tapis rouge avec Jackson pour la toute première fois. Lillian était non seulement accueillante et gentille, mais elle savait également dénicher les accessoires les plus mortels du monde entier!

« Le grand amour et une garde-robe géniale; que demander de mieux? » se dit Olivia en pressant ses lèvres ensemble et en posant une main sur son cœur, l'air rêveur.

Elle songea au fait que, si son père avait été capable de rougir, il aurait sans aucun doute été plus rose que son brillant à lèvres couleur barbe à papa en ce moment.

— Je ne le lui ai pas encore fait ma demande, rétorqua-t-il, alors il n'y a rien de sûr pour le moment.

Olivia inclina la tête et croisa ses bras sur sa poitrine.

— Je ne peux pas croire qu'elle dirait non; vous êtes totalement amoureux. Est-ce que tu l'as dit à Ivy?

— Non, dit-il en enfonçant ses mains dans ses poches. J'attendais le bon moment pour vous le dire, mais *quelqu'un*, poursuivit-il en levant suspicieusement les sourcils, a soudainement décidé de jouer les détectives.

Olivia lui fit un sourire gêné.

— Je veux m'assurer de planifier le mariage et la lune de miel parfaits avant de faire ma demande, conclut-il.

«Si je me fie à tout le travail qu'on a fait au cours des derniers jours, c'est sûr que tout va être parfait, se dit Olivia, mais…»

— Il y a une chose qui me rend… eh bien…

Elle plissa le front en cherchant la bonne façon de lui dire ce qui la tracassait.

— Ah et puis non, c'est rien, se reprit-elle en secouant la tête.

Elle aurait sans doute mieux fait de se taire, car le visage de Charles s'assombrit immédiatement.

— Quoi? Qu'est-ce qui ne va pas?

— Euh… eh bien… C'est simplement que je me disais que, commença-t-elle en s'efforçant d'être délicate, Lillian aimerait peut-être être impliquée dans la planification de son propre mariage?

Elle ne voulait pas faire de peine à son père biologique, mais il arrivait parfois que les hommes ne comprennent pas vraiment toute l'importance des voiles blancs, des bouquets de lys et des figurines parfaites pour le gâteau.

— C'est le rêve de toutes les filles après tout, termina-t-elle.

Charles lâcha un soupir de soulagement.

— Pendant un instant, j'ai cru que tu allais m'annoncer quelque chose de vraiment grave, dit-il en posant une main sur son épaule. Ne t'en fais pas, rien ne sera réservé avant que Lillian n'ait tout approuvé, et je la laisserai prendre soin de tous les petits détails. En ce moment, je veux simplement trouver des endroits, histoire de prendre les devants. *Carpe diem!*

Olivia grimaça mentalement. Parfois, Charles et son père adoptif n'étaient pas si différents l'un de l'autre; tous deux étaient aussi gênants avec leur amour des phrases latines et de l'épanouissement personnel.

— Alors, qu'en dis-tu? poursuivit-il. Tu veux bien continuer à m'aider? Est-ce que tu pourrais trouver combien de temps il faut pour faire une croisière sur le Nil dans une péniche?

— Une péniche sur le Nil! s'exclama Olivia, bouche bée. Lillian va tomber raide morte! Dans le bon sens du terme bien sûr, se corrigea-t-elle avant de faire paniquer Charles davantage.

— Ça, ça ne sera pas avant de nombreux, nombreux siècles. N'oublie pas qu'elle est une vampire, dit-il en se dirigeant vers son bureau.

Olivia s'affaira alors à se dégager un espace sur la table tout en passant son doigt sur le clavier de l'ordinateur pour le remettre en marche. Elle tapa ensuite les mots «croisière en péniche sur le Nil» dans le moteur de recherche et appuya sur la touche «Entrée».

«Ça va être le mariage de la décennie», se dit-elle avant de se remémorer le mariage royal auquel elle avait assisté il y avait peu de temps en Transylvanie.

«Mais bon, j'imagine qu'il n'y a pas de raison pour que les deux événements ne puissent être tout aussi spectaculaires», se ravisa-t-elle.

Ça semblait être dans la tradition chez les vampires de toute façon.

Olivia fit défiler la liste des sites Web qui s'étaient affichés sur son écran.

«Oh oh», se dit-elle en songeant soudainement au fait qu'elle n'aurait personne pour l'accompagner à ce mariage.

Ivy avait Brendan et, jusqu'à tout récemment, elle aurait eu Jackson.

«Ne pense surtout pas à Jackson», s'ordonna-t-elle.

En aucun cas ne se laisserait-elle distraire par cette pensée.

«Notre rupture s'est faite à l'amiable; aucun de nous n'a été blessé. C'était pour le mieux et c'est tout.»

Olivia serra les lèvres de façon décidée et rédigea une liste de numéros de téléphone que Charles pourrait utiliser dès le lendemain matin.

Lorsqu'Olivia quitta la maison d'Ivy, le soleil avait déjà amorcé sa descente dans le ciel et teinté les nuages de rose, de jaune et d'orange.

« Ce n'est pas une mauvaise palette de couleurs pour un mariage », se dit Olivia en regrettant ne pas avoir apporté son appareil photo.

Elle sortit ses verres fumés de son fourre-tout ; ses yeux étaient un peu irrités après toutes ces heures passées à regarder l'écran d'un ordinateur, mais ça ne la dérangeait pas. Maintenant qu'elle savait ce que Charles planifiait, la recherche était nettement plus amusante. Elle bâilla en couvrant sa bouche du revers de la main ; elle était complètement épuisée ! Il n'était que six heures du soir et elle avait déjà hâte d'aller se coucher.

— Olivia ! entendit-elle soudainement derrière elle.

Elle se retourna et vit Brendan, le petit ami d'Ivy, debout de l'autre côté du trottoir. Olivia se souvenait encore très nettement de l'époque où Ivy était trop nerveuse pour saluer le joli vampire aux longs cheveux et au menton ciselé. Dire que ce même garçon était aujourd'hui fou amoureux d'elle !

— Salut, Brendan ! répondit-elle en lui envoyant la main.

Ce dernier traversa alors la rue à vitesse grand V, après s'être assuré que personne d'autre ne se trouvait dans les alentours.

« Les vampires ! Toujours en train d'utiliser leurs super pouvoirs même pour les choses les plus simples », songea Olivia en souriant.

— As-tu parlé à Ivy aujourd'hui ? lui demanda Brendan en mâchouillant ce qui ressemblait à s'y méprendre à une barre de chocolat.

— Ouais.

Olivia marcha à ses côtés, dépassant l'intersection de la Colline du fossoyeur et du Chemin du cimetière.

— Mais pas bien longtemps ; elle devait aller souper. Ce décalage horaire nous tue ! Qu'est-ce que c'est ? lui demanda-t-elle en désignant la barre chocolatée du doigt.

Brendan leva l'emballage dans les airs pour qu'elle puisse mieux le voir.

— C'est une barre Taureau, ça donne de l'énergie, expliqua-t-il en prenant une autre bouchée. Ils en distribuaient gratuitement dans un kiosque au centre commercial. Tu en veux ?

Olivia entoura son cou de ses mains et fit mine de s'étouffer.

— Eurk, non merci, répondit-elle en repoussant l'emballage. Ça sent les vieux craquelins au fromage. Et pourquoi un vampire aurait-il besoin d'une barre énergétique de toute façon ?

Brendan haussa les épaules tout en examinant l'emballage luisant.

— Je ne sais pas, mais je m'en fiche. Qui dirait non à de la nourriture gratuite ?

Olivia leva les yeux au ciel.

— Pas un ado en pleine croissance, j'imagine.

— Et puis, ça a une haute teneur en calories, dit-il en lisant l'emballage. Et aussi en glucosamine et en oxymistine.

— Mmh…, fit Olivia en lui lançant un regard oblique. Est-ce que tu parles français là ?

— C'est un ingrédient synthétique qui aide à transporter l'oxygène dans le sang. C'est excellent pour donner un élan d'énergie !

Il frappa sa poitrine de ses poings, ce qui fit rire Olivia.

— Je ne suis pas certaine de vouloir voir un vampire avec une dose supplémentaire d'énergie!

— Je m'entraîne pour être le plus en forme possible avant le retour d'Ivy; je veux l'impressionner! dit Brendan en prenant une dernière bouchée avant de jeter l'emballage dans l'une des poubelles communautaires situées à proximité.

Il s'essuya les mains en esquissant un petit sourire triste tandis qu'il revenait vers Olivia.

— Je m'ennuie vraiment d'elle, tu sais, dit-il en s'essuyant la bouche. Même si je suis super excité qu'elle puisse vivre cette aventure et tout.

«Pauvre Brendan», se dit Olivia.

Elle savait précisément ce qu'il voulait dire, car elle ressentait exactement la même chose.

— Tu sais, tu n'as pas besoin de faire quoi que ce soit pour impressionner Ivy. Elle te trouve totalement cool tel que tu es, dit Olivia en faisant un pas hésitant vers l'avant et en songeant à lui faire un câlin pour finalement se raviser.

«Je pense bien que je ne lui ai jamais fait de câlin», se dit-elle en laissant retomber ses bras le long de son corps, incertaine de la façon dont il aurait réagi.

Tandis qu'Olivia s'éloignait, elle remarqua que le cou et les avant-bras de Brendan étaient marqués d'étranges taches grises, un peu comme une forme d'urticaire zombie.

Elle se souvint alors de l'horrible réaction qu'elle avait eue lorsqu'elle s'était retrouvée dans un champ d'orties Bouchées de sang en Transylvanie ; la plante vampirique avait rendu sa peau toute rouge et enflée, et des démangeaisons 10 fois pires que n'importe quel cas de varicelle s'étaient emparées d'elle. Elle espérait que Brendan n'avait pas attrapé quelque chose de semblable.

« Il s'ennuie peut-être tellement d'Ivy qu'il se rend malade... d'amour ? » songea-t-elle.

— Brendan..., dit Olivia, les yeux toujours rivés sur ses étranges taches grises. Est-ce que tu te sens bien ?

Brendan fit craquer son cou et remua ses doigts tout en secouant ses bras.

— Oui, oui, je me sens bien, dit-il avant de marquer une pause. Et toi, comment tu te sens depuis le départ d'Ivy ?

— Moi ? Eh bien…, répondit Olivia en se mâchouillant la lèvre. Tu sais…

Brendan lui adressa un sourire compatissant.

— Ouais, je sais…

Tous deux regardèrent alors au loin en songeant que plus rien n'était pareil sans Ivy. Après quelques instants, Brendan se racla la gorge.

— J'aime ton… euh… ce que tu portes aujourd'hui. C'est très, euh, très joli.

— Mais de quoi tu parles ? lui demanda Olivia.

Brendan était un garçon très gentil, certes, mais il n'était absolument pas du genre à complimenter le style vestimentaire d'autrui.

Il lui lança un regard plein d'espoir.

« Oh, oh, se dit-elle. Il y a quelque chose qui ne sent pas bon. »

— C'est très gentil, répondit-elle en se croisant les bras et en affichant un sourire légèrement exagéré. Qu'est-ce que tu aimes en particulier ? poursuivit-elle en se retournant sur elle-même comme pour lui permettre de mieux admirer son ensemble.

Elle s'efforça de s'empêcher de rire lorsque deux petites taches roses apparurent sur les joues de Brendan et qu'il se mit à agiter les mains en direction de sa tunique.

— Euh, la couleur. C'est très... gris.

— Autre chose ? l'encouragea Olivia.

— Et le... euh... Tes cheveux sont... Bon, bon, d'accord, tu m'as démasqué. J'abandonne.

— Alors, quel est le service que tu veux me demander ? dit Olivia en riant. Tu sais, celui pour lequel tu me lèches les bottes ?

Brendan baissa la tête et la regarda timidement à travers ses cheveux ébouriffés tout en se déplaçant inconfortablement d'un pied à l'autre.

— En fait, il y a un gros service que j'aimerais te demander. C'est que, Ivy a oublié quelque chose de très important lorsqu'elle a choisi de rester en Transylvanie.

— Elle a oublié quelque chose ? répéta Olivia. Comme quoi, une brosse à dents ? Parce que j'ai vu l'Académie et je suis pas mal certaine qu'elle a tout ce qu'il lui faut là-bas, tu sais. C'est comme si elle allait à l'école au Ritz ; je suis presque sûre qu'il y a même un service de conciergerie 24 heures sur 24.

— Non, non, ce n'est pas ça. En fait, c'est que Ivy, Sophia et moi avions prévu, euh, *quelque chose*, dit-il.

— Quelque chose ? répéta Olivia en inclinant la tête.

— Oui. Le genre de chose qui requiert *absolument* la présence d'Ivy.

— OK...

Quel genre de chose est-ce que des copains vampires auraient bien pu prévoir ? Boire du sang ? Organiser une soirée pyjama autour de cercueils ?

Olivia ressentit soudainement une étrange sensation sur la nuque ; elle avait la nette impression qu'elle n'allait pas du tout aimer ce qui allait suivre.

Brendan soupira.

— Tu vas probablement paniquer lorsque tu vas savoir de quoi il s'agit. C'est un assez gros service...

« Ouille », se dit Olivia en sentant sa liste de choses à faire s'allonger une fois de plus.

Sans parler du fait que, s'il s'agissait de quelque chose que Brendan et sa jumelle super gothique avaient mijoté ensemble, elle serait assurément forcée de sortir *totalement* de sa zone de confort.

Qu'allait lui demander Brendan — et, plus important encore, est-ce qu'Olivia serait prête à l'entendre ?

CHAPITRE 3

«Les vampires transylvaniens ne sucent peut-être plus de sang, se dit Ivy, mais je suis pas mal certaine qu'ils vont réussir à me sucer toute mon énergie.»

Petra était assise au pupitre voisin du sien et dessinait des chauves-souris dans son nouveau cahier noir. On aurait dit que la classe sortait directement d'un mauvais film d'époque avec ses rangées de pupitres et de chaises parfaitement alignés. Ivy détestait ce cours encore plus que le signal sonore de son réveille-matin.

«Je ne comprends absolument pas pourquoi je devrais m'immerger dans la mythologie et la bienséance vampiriques», se dit-elle en tapant du pied.

Elle était une fille du XXIe siècle après tout !

Une vampire plutôt coincée, assise à ses côtés, jouait avec ses perles sans arrêt, ce qui avait pour effet de rendre Ivy complètement folle.

— Hé, où sont les gars ? demanda Ivy à voix haute en regardant les autres étudiantes.

Aussitôt qu'elle eut prononcé ces mots, toutes les filles assises autour d'elle éclatèrent de rire, Petra y comprise.

— Les gars ? s'exclama la fille au collier de perles. Tu croyais qu'il y aurait des gars dans la classe ?

Ivy recula.

— Euh, oui ?

Petra se pencha sur son bureau et lui chuchota :

— As-tu déjà oublié ? Je t'avais dit, lorsque tu es venue à Wallachia pour la première fois, que les filles et les gars n'avaient pas le droit de se côtoyer. Nous sommes totalement séparés ! Nous ne sommes pas censées leur parler et nous n'avons jamais de cours avec eux.

Elle soupira, puis reprit de plus belle :

— Le seul moment où nous arrivons presque à être ensemble, c'est lors du cours de phytologie, mais seulement parce qu'il n'y a qu'une serre pour tous les étudiants.

Ivy s'en rappelait maintenant; lorsqu'elle avait visité l'Académie, il y avait eu un duel sur le terrain de l'école, et tout le monde s'était précipité dehors pour regarder la scène. Petra avait été ravie parce qu'elles avaient pu être avec les garçons pendant un court instant. Ivy, elle, s'était seulement sentie mal à l'aise — et c'est d'ailleurs ce qu'elle ressentait à présent.

— Wow, ça fait très troisième année! conclut-elle.

« Il y a des choses que j'ai encore de la difficulté à croire à propos de cet endroit. »

La classe redevint silencieuse tandis que les étudiantes attendaient patiemment l'arrivée de leur enseignante.

— Psstt! fit Petra en poussant le bras d'Ivy du bout de son stylo. As-tu déjà vu le Gantelet? lui demanda-t-elle.

— Non, pas encore. Qui joue dedans? lui répondit Ivy tandis que la porte de la classe s'ouvrait brusquement.

Une énorme chauve-souris noire aux yeux de fouine et aux longs talons recourbés fit alors son entrée, les ailes déployées. Ivy se pencha doucement tandis que la chauve-souris passait au-dessus de sa tête. Des filles criaient et se cachaient sous leurs pupitres tandis que d'autres se collaient aux murs de la classe en gémissant.

« Elles n'ont jamais vu de chauve-souris ou quoi ? » se demanda Ivy.

Le petit mammifère noir revint enfin s'installer sur l'épaule d'une vampire à l'allure majestueuse qui s'était faufilée dans la classe sans se faire remarquer. Elle portait une blouse à volants couleur jaune moutarde, rentrée dans une crinoline bouffante, et ses cheveux étaient lissés en un chignon ridiculement serré qui tirait inutilement sur la peau de son visage.

« Cette femme a de la prestance, s'avoua Ivy en admirant la façon dont elle se pavana jusqu'à l'avant de la classe. Bien que son sens de la mode semble être resté coincé au XIXe siècle. »

La femme frappa deux fois dans ses mains.

— Étudiantes, dit-elle d'une voix sèche en balayant les rangées de pupitres du regard comme si ses yeux avaient été des lasers. Je suis mademoiselle Avisrova.

L'enseignante s'inclina et Ivy dut s'empêcher de pouffer de rire; le geste était si formel, si artificiel.

« Elle n'aurait pas pu se contenter de nous saluer? » se dit-elle.

— Comme vous le savez, ceci est une classe de bienséance. *En temps normal*, nous y étudions des sujets essentiels tels que la danse de salon, la cuisine vampirique et l'art de reconnaître la différence entre le sang bien vieilli et le sang bon marché que l'on retrouve au Marché du sang, expliqua mademoiselle Avisrova en reniflant l'air comme si une odeur particulièrement nauséabonde s'en dégageait.

Ivy déglutit avec difficulté. Elle n'aurait jamais imaginé que le Marché du sang était considéré comme bas de gamme; c'était son épicerie préférée!

— Mais aujourd'hui, en guise de punition pour toutes les étudiantes qui ont réagi de façon si déplacée lors de l'arrivée de ma chauve-souris – Ivy se sentit rapetisser dans sa chaise –, vous serez privées du plan de cours original. *J'avais* prévu vous enseigner comment vous comporter lors d'un bal.

« Quel soulagement », se dit Ivy en levant mentalement les yeux au ciel.

— Toutefois, je vous enseignerai plutôt la virtuosité subtile de l'art de la conversation.

« Beurk », songea Ivy.

Mademoiselle Avisrova était si austère et semblait si misérable qu'elle se dit que mademoiselle *Déprim*rova serait sans doute plus approprié. Jouait-elle le rôle d'un personnage quelconque ? Comme dans une mauvaise audition pour *Du talent transylvanien à revendre* ? Si ce n'était de la terreur dans les yeux des étudiantes qui l'entouraient, Ivy aurait cru à une mauvaise blague.

— Mademoiselle Lazar, appela mademoiselle Avisrova.

Ivy ne bougea pas la tête, bien que son instinct fût de regarder tout autour d'elle pour voir de qui il s'agissait.

« Quelle malchance de se faire appeler lors de la toute première leçon ! » se dit-elle.

— Mademoiselle Lazar ! répéta l'enseignante.

Cette fois-ci, Ivy ne put s'empêcher de se retourner légèrement. Lazar ? Cette étudiante faisait peut-être partie de sa famille ; après tout, c'était là le nom de famille de ses grands-parents. Ivy portait évidemment le même nom que son père, Vega, mais cette autre Lazar était peut-être une cousine?

Le silence absolu de la classe résonna dans les oreilles d'Ivy, qui redirigea son attention vers l'avant de la classe et vit que mademoiselle Avisrova la fixait intensément.

«Oh, oups!» se dit Ivy.

Elle était sur le point de hausser les épaules, mais se ravisa en songeant que c'était sans doute interdit dans un cours de bienséance. Mademoiselle Avisrova lui fit signe de s'avancer vers elle de son long doigt maigre. Le cœur d'Ivy battait la chamade; il était aussi bruyant qu'une poignée de clous se faisant marteler sur le couvercle d'un cercueil. Elle se glissa doucement hors de sa chaise et remonta la longue allée de pupitres jusqu'au tableau, là où mademoiselle Avisrova l'attendait de pied ferme.

— Asseyez-vous, lui commanda l'enseignante en claquant des doigts et en désignant une chaise qui avait été placée contre le mur du tableau. Mademoiselle Lazar sera mon assistante, annonça-t-elle au reste de la classe.

— En fait, c'est mademoiselle Vega, dit Ivy en prenant place sur sa nouvelle chaise. Longue histoire, assez ennuyante.

Elle s'efforça de rire, mais le son qui sortit de sa bouche sonna très faux et étrangement métallique.

« Ouille, arrête de parler, Ivy », se dit-elle en pressant fermement les lèvres ensemble.

Elle tenta alors d'esquisser un léger sourire, mais prit conscience qu'elle faisait plutôt une étrange grimace. Elle jeta un coup d'œil furtif à la classe et vit que toutes les autres étudiantes la fixaient comme si elle venait de crier des insultes à la reine d'Angleterre.

« Génial », se dit-elle.

Avisrova inclina la tête et regarda Ivy d'un air oblique.

— Lors d'une conversation, dit-elle tout en posant une chaise face à elle, on ne doit jamais offrir des renseignements personnels qui n'ont pas été demandés.

« Mais qu'est-ce que ça veut dire ? » se demanda Ivy.

— La conversation est comme une joute. Pour bien converser, il faut interroger l'autre personne sans toutefois se montrer indiscret, poursuivit-elle en levant le petit doigt comme pour souligner ce point. Il faut poser des questions soigneusement choisies auxquelles vous recevrez des réponses soigneusement songées. Permettez-moi de vous en faire la démonstration.

Elle s'installa convenablement sur sa chaise et se redressa le dos.

— Mademoiselle Lazar, veuillez soigneusement choisir une question pour moi afin que je puisse vous démontrer la façon dont une conversation devrait se dérouler.

Ivy mâchouilla sa lèvre inférieure tout en réfléchissant.

« Voyons voir... Pourquoi êtes-vous de si mauvaise humeur? Comment faites-vous pour vous tenir si droite? Êtes-vous contre le fait de porter des chaussures qui ne sortent pas tout droit de l'ère victorienne? Pourquoi, au nom de l'obscurité, est-ce que toute cette histoire de bienséance hautaine devrait avoir une quelconque importance? »

Ivy repoussa les questions qui flottaient dans son esprit; elles étaient assurées de la mettre dans le pétrin.

« Choisis soigneusement », se dit-elle en prenant une profonde inspiration.

— Quelle est votre émission de télévision préférée ?

Après tout, il était certain que *tout le monde* en avait une, n'est-ce pas ?

Avisrova laissa s'échapper un petit rire moqueur et secoua la tête.

— C'est si américain de votre part, lui dit-elle. Quelle question insignifiante et sans intérêt. Pourquoi se donner la peine de la poser ?

Ivy sentit une colère intense monter dans sa poitrine tandis qu'elle entendait des chuchotements s'élever de partout dans la salle. Elle se retourna et lança l'un de ses fameux regards de la mort à l'une des filles, qui sursauta et se redressa sur sa chaise en faisant mine de s'attarder à lisser sa jupe à plis.

— Pouvez-vous croire qu'elle ait dit ça ? dit une autre fille dont les cheveux étaient coiffés en tresses lâches qui retombaient de chaque côté de sa clavicule.

— C'est si grossier, commenta une autre qui portait un ruban cramoisi en guise de bandeau.

Kristina ? Anna ? Ivy n'arrivait pas à se souvenir du nom de cette fille, mais c'était le moindre de ses soucis en ce moment.

Elle enfonça ses ongles dans ses paumes, puis se racla la gorge.

— En fait, je voulais savoir, commença-t-elle en sentant que son ton devenait légèrement hargneux, comment c'était de magasiner dans les années soixante?

Les étudiantes en eurent toutes le souffle coupé.

Bon, d'accord, Ivy savait que son insulte n'était pas tout à fait fondée. Après tout, Avisrova n'était pas habillée en hippie. Mais Ivy avait fait valoir son point et la réaction de surprise de ses camarades de classe en valait largement la peine — du moins, elle l'espérait.

C'est alors que son enseignante lui jeta un regard de la mort plus saisissant que tous ceux qu'Ivy n'ait jamais jetés; elle avait visiblement des années de pratique.

— Tu seras punie pour ça! hurla cette dernière. Mais ne t'en fais pas, notre institution viendra à bout de toute cette insolence américaine, Ivy *Lazar*. Tu te rapporteras à moi à la fin de la journée. Je serais très surprise que l'une de nous ait à manger ce soir.

Avant qu'Ivy ne puisse s'empêcher d'ouvrir la bouche, elle lança :

— Non mais, c'est quoi ça, *Oliver Twist*?

Des rires bruyants fusèrent alors des quatre coins de la pièce, et Ivy repéra de nombreux regards de mépris sur les visages de ses camarades de classe.

«Cette journée n'a vraiment pas bien commencé», se dit-elle en soupirant.

* 🦇 *

— Sacrée obscurité! Et là t'as dit : «Non mais, c'est quoi ça, *Oliver Twist*?»

Ivy gémit. Petra sautillait gaiement à ses côtés tout en lui répétant sa récente altercation avec mademoiselle Avisrova pour la énième fois. Chemin faisant, elles passèrent devant un présentoir rempli de médailles de bronze, de plaques et de trophées polis décernés lors de toutes sortes de compétitions, allant du rugby à l'escrime et aux concours d'épellation.

— Je sais, j'étais là, rappela Ivy à sa compagne.

Une fille au bandeau rouge et noir et aux cheveux bruns soyeux lui donna une petite tape amicale dans le dos.

— Belle prestation, Ivy, lui dit-elle avec un large sourire.

Une autre étudiante aux boucles d'oreilles en diamants et au veston ajusté s'approcha alors d'elle et lui tendit la main.

— Je dois bien avouer que tu es plutôt brave — et un brin téméraire !

Ivy étouffa un petit rire ; elle ne voulait pas offenser qui que ce soit, mais si ces filles trouvaient que *ça* c'était téméraire, elles ne survivraient certainement pas une journée à l'école secondaire de Franklin Grove.

« Et ce n'est qu'une banale école de banlieue ! » se dit Ivy.

Elle allait justement partager cette réflexion avec Petra lorsqu'elle remarqua que cette dernière fixait intensément une porte entrouverte, des étoiles plein les yeux. Ivy suivit son regard et découvrit un groupe de garçons, tous vêtus de chics vestons noirs et de cravates rouges, confortablement assis sur leurs pupitres à se lancer des avions en papier en attendant le début de leur cours.

— Qu'est-ce que tu…

— Viens par ici ! dit Petra en éloignant soudainement Ivy de ses nouvelles admiratrices pour l'entraîner dans une alcôve au bout du corridor. Regarde ça, dit-elle en sortant un cahier de son sac à bandoulière en cuir.

Petra feuilleta quelques pages avant de replier son cahier vers l'extérieur et de le montrer à Ivy. À l'intérieur, elle avait dessiné un garçon et une fille, perchés côte à côte sur le couvercle d'un cercueil, se tenant tendrement les mains. Elle avait même écrit, en lettres fleuries, « Moi » sous la fille et « Etan » sous le garçon, et avait encadré son dessin de cœurs rouge vif.

« Petra craque vraiment pour lui ! » songea Ivy.

— Joli dessin, dit-elle en passant ses doigts sur la page.

— Et ce n'est pas tout ; le poème est encore bien meilleur, répondit Petra en tournant la page.

Ivy balaya les lignes d'écriture du regard et capta quelques mots tels que « brûlant », « passion » et « mon chéri ».

« Un poème d'amour ? » se dit Ivy.

C'était un peu trop fleur bleue à son goût.

— Je n'avais jamais pu écrire de la poésie en classe auparavant, dit Petra en serrant son cahier contre sa poitrine. Les enseignants sont toujours beaucoup trop aux aguets pour ça. Mais ce matin, pendant que tu distrayais Avisrova, j'ai pu écrire ça! Je vais me coller à toi dorénavant! conclut-elle en serrant le bras d'Ivy.

— Euh... merci? répondit cette dernière d'un air confus.

Elle était bien contente d'avoir pu aider Petra, mais elle n'avait pas prévu irriter un membre du corps enseignant si peu de temps après son arrivée à l'Académie, et elle n'était pas certaine de vouloir procurer à Petra d'autres opportunités d'écrire des poèmes d'amour aussi stupides.

«Mais bon, se dit-elle, il y a au moins une personne qui voit le bon côté de ma future retenue!»

Petra remit son cahier dans son sac et sortit son téléphone pour consulter l'heure.

— Il ne nous reste que cinq minutes avant le début de notre prochain cours; on ferait mieux d'y aller, dit-elle.

Ensemble, elles sortirent sur les terrains luxuriants de Wallachia. Le gazon scintillait de rosée et Ivy prit une grande inspiration pour mieux apprécier l'arôme des buissons de gardénias qui bordaient le sentier de pierres. Tout autour d'elle, de jeunes étudiants se prélassaient sous des chênes ombragés, appuyés contre leurs troncs, occupés à prendre des notes dans leurs manuels scolaires. D'autres encore couraient sur la pelouse en se lançant des disques volants. On aurait vraiment dit une scène sortie tout droit de l'un de ces téléromans pour adolescents qu'Olivia aimait tant.

Petra et Ivy se dirigèrent ainsi vers le réfectoire, là où les répétitions de la chorale étaient sur le point de commencer.

— Tu vois ça, là-bas ? demanda Petra. C'est *ça*, le Gantelet.

Elle désignait du doigt une colline qui s'étendait au loin, en partance du dortoir des filles, et qui culminait dans une forêt très dense, remplie de pins majestueux et d'arbres couverts en permanence de larges feuilles. Du sumac vénéneux grimpait le long du tronc de ces arbres et des baies rouges pendaient lourdement des buissons. Le sol de la forêt était recouvert d'une épaisse couche de feuilles et de sinistres plans d'orties se nichaient à la base des troncs d'arbres, prêts à attaquer toute personne qui oserait les approcher.

Ivy s'arrêta et porta une main à son front afin de protéger ses yeux du soleil.

— C'est quoi, un gantelet?

— *Le* Gantelet, la corrigea Petra. C'est ce que l'Académie Wallachia utilise pour garder les filles et les garçons séparés en dehors des heures de cours. Tu n'as pas remarqué que le seul moment où l'on peut voir les garçons est lorsqu'ils se dirigent vers leurs dortoirs ou leurs cours? Le Gantelet est ce qui sépare nos quartiers respectifs.

La forêt était incroyablement sombre et dense. Ivy ne comprenait pas comment on pouvait y voir quoi que ce soit à plus de deux centimètres devant soi, alors l'idée de s'y faufiler en vue d'une escapade romantique lui semblait tout à fait irréaliste.

«Chose certaine, les responsables de l'Académie Wallachia ne veulent vraiment pas que les filles et les garçons se mêlent!» se dit Ivy.

Mais pour quelle raison exactement? Si elle avait été séparée de Brendan comme ça à Franklin Grove... Cette seule idée la faisait frissonner d'horreur. Elle préférait ne pas y penser; elle se trouvait peut-être à des centaines de kilomètres de son petit ami en ce moment, mais elle savait qu'ils se retrouveraient un jour — et qu'il n'y aurait aucun stupide Gantelet pour les séparer.

Petra secoua la tête en regardant fixement par-delà des arbres.

— Si seulement il n'y avait pas cette stupide forêt dans mon chemin, dit-elle en poussant un long soupir de désespoir. Le dortoir d'Etan est là-bas. Je me demande ce qu'il mange pour le déjeuner...

Ivy lança un regard oblique à Petra ; elle aurait juré avoir vu des larmes perler au coin de ses yeux.

« Oh non, c'est pas vrai... »

Puis, Petra la regarda avec espoir et ajouta :

— Bien sûr, maintenant que tu es ici, tout peut arriver. Penses-y ! J'aurai peut-être la chance d'avoir une vraie conversation avec Etan un jour si... tu sais... tu réussis à déconcentrer les enseignants assez longtemps.

« Une minute, papillon ! » se dit Ivy.

Est-ce que Petra se tenait avec elle uniquement parce qu'elle pensait que son talent pour s'attirer des ennuis lui fournirait une bonne protection pour ses propres bêtises ?

« Allô ! Je ne suis pas un leurre humain ! »

Ou peut-être s'ouvrait-elle véritablement à elle? Petra semblait toujours si sûre d'elle-même; Ivy était persuadée qu'elle ne partageait pas ses faiblesses comme ça avec n'importe qui.

Ivy soupira en songeant qu'un autre des multiples avantages de Franklin Grove était que les gens y étaient beaucoup moins compliqués.

«J'aimerais presque pouvoir y retourner... Je me demande ce que Brendan peut bien faire en ce moment», songea-t-elle.

Cette pensée la rendit un peu plus compatissante envers Petra. Être loin de son petit ami était certes difficile, mais elle ne pouvait s'imaginer à quel point Petra devait souffrir de savoir que le garçon qu'elle aimait se trouvait juste de l'autre côté de cette forêt et qu'il lui était pourtant inaccessible.

— J'ai une idée, dit Ivy en avançant vers un arbre situé en bordure du Gantelet pour mieux l'examiner.

«Il semble plutôt solide, se dit-elle. Ses branches pourraient sûrement supporter le poids de deux filles.»

— On y va? demanda-t-elle en se retournant vers son amie.

— Aller où ? rétorqua Petra.

— Jeter un coup d'œil de l'autre côté ! répondit Ivy en donnant une petite tape sur le large tronc d'arbre.

Petra regarda Ivy, puis l'arbre, puis de nouveau Ivy.

— Tu veux rire ! Non, non, on ne peut pas, dit-elle en secouant rapidement la tête. Je ne peux pas faire ça.

— Etan pourrait bien se trouver juste de l'autre côté, tu sais, répliqua Ivy avec un sourire innocent. De toute façon, nous avons encore quelques minutes à tuer, non ?

Petra serra la mâchoire et lança des regards furieux en direction de l'arbre.

— Tu as raison ; je dois le voir ! Aide-moi à monter.

Ivy avança ses mains en entrelaçant ses doigts afin de constituer une marche pour Petra, tout comme elle avait vu sa sœur le faire lors de ses entraînements avec son équipe de meneuses de claques. Elle souleva Petra jusqu'à la branche la plus basse, puis cette dernière s'étira le bras pour aider Ivy à grimper à son tour. Ensemble, elles montèrent ensuite sur une branche plus haute.

— Est-ce que tu les vois ? demanda Ivy en haletant.

Petra les montra du doigt et dit :

— Là-bas, sur le terrain de sport. Il y a un groupe de gars qui jouent.

Ivy les regarda courir quelques instants, vêtus de leurs chandails de rugby, attendant patiemment le début de la partie.

— C'est fou ! s'exclama Ivy avec un petit rire, malgré le fait qu'elle n'était pas certaine de trouver tout ça très drôle. C'est comme si nous vivions dans un énorme zoo et que les gars en étaient l'attraction principale.

Petra pressa ses mains contre son cœur.

— J'aurais aimé qu'on ait de meilleures places alors, des places plus intimes.

« Wow ! Cette fille a un sérieux béguin ! » songea Ivy en s'appuyant contre le tronc et en laissant pendre ses jambes dans le vide.

— À Franklin Grove, je me tenais toujours avec mon petit ami ; en fait, il était l'un de mes meilleurs amis. Je ne peux pas m'imaginer vivre comme ça, dit-elle.

Toutes deux demeurèrent silencieuses, et Ivy sentit que Petra retenait son souffle, espérant probablement apercevoir Etan au loin. Elle entendit alors une petite branche se casser et la voix d'un adulte appeler en provenance de la base de l'arbre.

— Eh, vous deux! Mais qu'est-ce que vous faites là-haut? leur cria une enseignante au long nez et aux lunettes rondes tout en les fixant intensément du regard.

Ivy et Petra se regardèrent, les yeux écarquillés, et redescendirent à toute vitesse.

— On arrive! répondit Ivy.

Elle regagna rapidement la terre ferme et, à peine une seconde plus tard, Petra la rejoignit en époussetant gracieusement son uniforme.

— Désolée, Mademoiselle... euh...

— Kornikova, dit la femme sur un ton qui laissait presque croire qu'elle venait de boire une grosse gorgée de lait caillé.

— Kornikova, bien sûr, dit Ivy en tentant d'afficher un air innocent. Vous voyez, nous voulions nous préparer pour notre premier cours de phytologie et — oh, regardez l'heure! Nous devons absolument y aller!

Ivy s'empara de la main de Petra et toutes deux s'éloignèrent rapidement en longeant la forêt. Petra demeura silencieuse, et Ivy fut contente d'avoir enfin la chance de réfléchir tranquillement.

«On l'a échappée belle!» se dit-elle.

Les deux acolytes assistèrent ensuite à ce qui parut être une interminable séance de torture pour Ivy : une répétition avec la chorale, ce qui voulait dire apprendre d'innombrables chants gothiques par cœur, puis un cours de sciences domestiques, où l'on enseignait les subtilités de la préparation du tartare de bœuf. Ivy adorait les chants gothiques, mais ses crocs, désormais plus longs, s'accrochaient constamment dans ses gencives. Et, bien qu'elle adorait manger du tartare de bœuf, elle détestait en apprendre la préparation!

«Mais où est Horatio lorsqu'on a besoin de lui?» se demanda-t-elle.

Enfin, l'heure du cours de phytologie arriva et les filles se dirigèrent vers une grande serre de verre. C'était là un cours auquel Ivy avait hâte d'assister depuis qu'elle s'était découvert un talent pour la botanique lors du mariage royal d'Alex et de Tessa. Après qu'Olivia se soit malencontreusement vu administrer des médicaments pour vampires à la suite d'une chute dans un plan d'orties, Ivy avait aidé Helga, la phytothérapeute de la famille Lazar, à créer un cataplasme en mélangeant des plantes et des potions afin de pouvoir guérir sa jumelle.

La serre d'étude devant laquelle elles se trouvaient était ultra sophistiquée; des ventilateurs vrombissaient dans tous les coins et des arroseurs électriques étaient en marche. Une demi-douzaine de tables en métal étaient disposées devant un grand tableau et des tabourets étaient alignés des deux côtés de ces dernières. Enfin, des plantes en pot pendaient au-dessus de leurs têtes, leurs vrilles serpentant dans les airs.

— Bon après-midi à tous! dit une vampire plutôt âgée en sortant de derrière un écran.

Elle portait un tablier vert foncé et des gants de toile. Ses cheveux gris crépus étaient coiffés en une queue de cheval désordonnée et ses joues étaient couvertes de terre.

— Helga? lança spontanément Ivy. Je ne savais pas que tu enseignais ici!

— Ivy Vega! répondit Helga en retirant ses gants et en se précipitant vers elle, la main tendue.

Ivy était sur le point d'attirer Helga vers elle pour la serrer dans ses bras lorsqu'elle remarqua quelque chose de brillant sur son annulaire. Elle se figea un instant et regarda fixement la main d'Helga ; il s'agissait d'une scintillante bague antique sertie de diamants.

— Tu es fiancée ! s'exclama-t-elle.

Helga lui adressa un sourire gêné et répondit :

— Horatio m'a fait sa demande hier, et nous avons décidé que nous n'avions pas de temps à perdre !

Olivia et Ivy avaient vu le béguin que le majordome avait pour Helga se développer en amour véritable pendant toute la préparation du mariage royal. Olivia trouvait que leur histoire était la plus romantique de toutes, et même Ivy devait avouer qu'elle était bien heureuse de voir ces deux magnifiques personnes partager des regards amoureux. C'était comme de regarder deux acteurs hollywoodiens se faire la cour dans l'un de ces films en noir et blanc que l'on garde précieusement pour les jours de pluie.

— Vraiment ? C'est mortel ! s'exclama Ivy en attirant Helga dans un gros câlin des plus sincères.

Elle entendit alors une autre étudiante chuchoter :

— Est-ce qu'elles se connaissent ? Je pensais qu'elle venait d'un petit patelin perdu du nom de Franklin Grove.

Helga recula en replaçant tant bien que mal ses cheveux rebelles.

— Euh, groupe ? dit-elle en regagnant l'avant de la classe. Je suis certaine que vous vous demandez ce que je fais ici. En fait, il se trouve que mademoiselle Petrovsky a soudainement changé d'avis ; elle a finalement décidé de prendre sa retraite. Elle a parlé d'allergies et d'enfants, et d'un mauvais cas de varicelle à chauve-souris au pied sucette. En tous les cas, je me présente. L'Académie aimerait que vous m'appeliez mademoiselle Peneve mais — dit-elle en jetant un regard par-dessus son épaule — j'aimerais que vous m'appeliez Helga.

Ivy prit place à une table et vit que Petra la regardait, le front plissé, comme si elle était vexée de voir qu'elle avait une amie qu'elle ne connaissait pas. Peu importe, rien ne pouvait gâcher le plaisir qu'Ivy éprouvait de revoir Helga et de se rappeler les bons moments passés ensemble à mélanger des potions.

« Peut-être que de bonnes choses peuvent arriver à Wallachia après tout ! » se dit-elle en ressentant une vague de bonheur monter en elle.

Oui, elle le sentait, les choses allaient définitivement s'améliorer.

CHAPITRE 4

« Prends de grandes inspirations, Olivia, de grandes inspirations, se dit-elle. Ivy est ta jumelle, tu te souviens ? Ta jumelle identique. »

Les paumes d'Olivia suintaient et son genou droit tremblait sans qu'elle puisse l'arrêter. Elle allait tellement se faire coincer, surtout si les couches du maquillage gothique qu'elle avait appliquées sur son visage commençaient à dégouliner en raison de sa trop grande nervosité.

« Il faut absolument que je me calme », songea-t-elle.

Après tout, elle s'était déjà fait passer pour Ivy plus d'une fois par le passé, alors elle pourrait certainement le faire une fois de plus, n'est-ce pas ?

Olivia se tenait dans la file des gagnants, juste devant la billetterie qui avait été installée au Franklin Fields. Sophia et Brendan étaient à ses côtés, tout comme une foule d'autres super fans vêtus de t-shirts à l'effigie des Pall Bearers. Brendan sautillait sur place; il semblait à la fois nerveux et très excité. Il sortit ses mains de sa veste et leva un pouce discret en lui adressant un sourire complice, sourire qui se voulait sans doute encourageant, mais qui était plutôt sinistre, un peu comme Dracula.

— Tu vas très bien t'en sortir! dit-il en lui donnant une petite tape d'encouragement dans le dos.

— Vraiment? lui demanda-t-elle.

Elle était loin d'en être convaincue. Elle avait fait de son mieux pour se renseigner sur le groupe préféré d'Ivy en faisant des recherches sur tous les sites de fans qu'elle avait pu trouver, mais cela suffirait-il vraiment à convaincre tout le monde qu'elle était véritablement celle à qui revenaient les billets qu'Ivy avait gagnés?

— Es-tu sûre que je suis... OK? demanda-t-elle en faisant un cercle avec son pouce et son index et en levant ses trois autres doigts dans les airs.

— Totalement, la rassura Sophia en lui serrant doucement le bras.

«Oui, je crois que je vais réussir!» se dit-elle.

Il était vrai qu'elle se sentait un peu mal en pensant aux mensonges qu'elle devrait raconter afin d'aider ses amis, mais Brendan et Sophia étaient tellement excités! Leur bonheur devait bien compenser un peu pour sa culpabilité, non?

Olivia avait eu peine à croire le service que Brendan lui avait finalement demandé. Deux semaines avant qu'Ivy et elle ne partent pour la Transylvanie, Ivy s'était inscrite à un concours afin de gagner trois laissez-passer VIP pour assister au spectacle des Pall Bearers, son groupe de métal préféré de tous les temps. Malheureusement, lorsque l'identité des gagnants avait été dévoilée, elle était déjà dans l'avion. Brendan avait reçu une copie du courriel annonçant la bonne nouvelle puisqu'Ivy l'avait nommé comme invité d'honneur, mais, puisqu'elle n'était plus là, il lui était impossible de réclamer les billets! C'est pourquoi il avait dû se résigner à demander à Olivia de se faire passer pour sa sœur, ce qu'elle avait évidemment accepté;

elle ne pouvait pas abandonner Brendan et Sophia!

— J'arrive pas à croire qu'on est vraiment ici! dit Brendan en levant son poing dans les airs. Qui aurait cru qu'Ivy gagnerait le concours?

Olivia aurait souhaité que Brendan cesse de célébrer quelques instants, le temps de s'assurer qu'ils soient vraiment tirés d'affaire. Elle n'avait pas encore les billets en main après tout.

— Je suis juste déçue qu'Ivy ne puisse pas être ici, dit Olivia d'une voix faible.

« Sérieusement, vous n'avez aucune idée à quel point je préférerais que ma jumelle soit ici à ma place », se dit-elle.

— Dire qu'elle manque tout ça… Ça va lui donner l'impression de se faire transpercer d'un pieu! ajouta-t-elle.

— Elle était très préoccupée, dit Sophia. Je comprends qu'elle ait oublié sa participation au concours.

Brendan et elle avaient été totalement compréhensifs, mais il s'agissait quand même des Pall Bearers. Qu'auraient-ils dû faire? Rater une occasion en or de voir le plus grand groupe de tous les temps?

Olivia savait qu'Ivy se serait sentie atrocement coupable si elle avait su que sa décision d'aller à Wallachia avait empêché ses amis de profiter de l'événement du siècle. Elle était donc là à sa place, à tenter de faire sa meilleure et plus convaincante imitation à ce jour. Sa vie hollywoodienne était peut-être temporairement mise en veille, mais cela ne l'empêchait en rien de prendre ce rôle à cœur !

Elle tirait nerveusement sur le t-shirt ample qu'elle portait — pas du tout son style —, et qui devait permettre à Sophia et à Brendan d'obtenir les précieux billets. En effet, le règlement stipulait que seule la gagnante, une certaine Ivy Vega, pouvait les réclamer et qu'elle devait le faire en personne afin que l'employé de la billetterie puisse valider son identité à l'aide de la photo figurant sur son inscription originale.

Olivia fit un autre pas dans la file ; c'était presque à son tour maintenant.

— On ferait mieux de s'éloigner un peu, dit Brendan en passant sous le cordon de velours pour sortir de la file.

— Bonne chance, lui chuchota Sophia à l'oreille.

Olivia sortit un petit miroir de la poche de ses jeans déchirés et examina son reflet.

« Teint pâle ? C'est bon. Maquillage foncé ? C'est bon. Vêtements délabrés qui auraient peut-être besoin d'un lavage ? C'est bon. »

Il ne restait maintenant plus que deux personnes entre elle et l'employé de la billetterie. Olivia s'efforçait de demeurer concentrée et de s'empêcher de jeter un autre regard en direction de Brendan et de Sophia.

« Tu n'as qu'à garder ton calme et tout ira très bien. Tu vas réussir sans problème », se dit-elle.

— Quelle a été la toute première chanson des Pall Bearers à atteindre le sommet du palmarès transylvanien ? demanda un homme barbu à l'adolescent en tête de la file d'attente.

Pour réclamer son prix, chaque gagnant devait effectivement répondre à une question afin de prouver son statut de fan. Bien que la soirée ait été plutôt chaude, une pointe glaciale traversa alors le cœur d'Olivia.

— *Bienvenue dans mon cauchemar* ! répondit le gagnant avec enthousiasme.

— Et c'est… correct! répondit l'homme en lui remettant ses billets. Suivant!

Olivia frissonnait de nervosité. Sophia avait passé toute la journée à la faire étudier, mais elle était morte de peur à l'idée qu'on lui pose une question à laquelle elle n'aurait pas la réponse. En vérité, Olivia n'était plus certaine de se souvenir de quoi que ce soit à présent.

Elle fixait distraitement la tête de la personne se trouvant devant elle tandis que l'employé barbu lui demandait :

— Quel est le nom du chat du chanteur principal du groupe?

Olivia avait l'impression que quelqu'un avait secoué son cerveau et en avait effacé tout le contenu comme sur un écran magique.

— Zombie gris! répondit la fille qui portait des bas à mailles et des bottes aux genoux.

Après quelques instants, elle récupéra ses billets et les agita dans les airs en signe de victoire.

C'était maintenant au tour d'Olivia, qui s'avançait en se traînant les pieds comme si elle avait été sur le pilote automatique.

— Nom ? demanda l'homme en se grattant la barbe avec une expression d'ennui.

Olivia redressa les épaules et répondit :

— Ivy Vega.

— Vega, Vega... Ah, te voici, dit-il en feuilletant sa liste.

Il regarda la photo qui s'y trouvait, puis leva les yeux vers Olivia, et regarda de nouveau la photo. Olivia retenait nerveusement son souffle.

— D'accord, dit-il enfin, voici ta question. Quelle est la troisième ligne de la deuxième chanson qui se trouve sur le premier album des Pall Bearers ?

« Quoi ? C'est une blague ? » se demanda-t-elle.

Elle n'avait définitivement pas étudié ça. Olivia se sentit alors devenir encore plus pâle que tous les vampires gothiques qui l'entouraient. Comment pourrait-elle trouver la réponse à cette question ?

Les yeux écarquillés, elle jeta un coup d'œil à Brendan et à Sophia, qui avaient déjà commencé un ridicule jeu de mime. Olivia se plissa les yeux ; elle savait qu'ils essayaient de lui donner la réponse, mais que diable mimaient-ils ?

Sophia tapait furieusement sur sa poitrine d'une main en désignant Brendan de l'autre, tandis que Brendan mimait une pointe du bout des doigts tout en exécutant de petits gestes rapides comme s'il tentait de piquer l'air ambiant.

« Poitrine ? Non. Cœur ? Amour... battement de cœur... choses pointues... pleurs ? » se demanda Olivia.

Elle secoua alors la tête et se retourna vers l'employé de la billetterie qui lisait la rubrique des sports en attendant qu'Olivia lui donne sa réponse.

« Aussi bien essayer », se dit-elle.

— Cet amour est comme un pieu dans le cœur ?

L'homme leva les yeux de son journal pour consulter sa feuille de réponse.

— Tiens, dit-il en faisant glisser trois billets dans sa direction.

« Sérieusement ? J'ai réussi ? » se dit-elle en s'emparant du précieux butin.

Elle avait envie de sauter de joie, mais elle se ravisa en songeant au fait que les vrais gothiques ne démontraient jamais autant d'enthousiasme à propos de quoi que ce soit. Elle rejoignit donc nonchalamment Brendan et Sophia tout en se demandant

qui pourrait bien vouloir écouter une chanson à propos d'amour et de pieux.

Une demi-heure plus tard, Olivia faisait de
son mieux pour éviter de se faire écraser les
orteils par les bottes de combat d'une mer
de filles et de garçons si fantomatiquement
pâles qu'on aurait dit qu'ils avaient sucé
toute la couleur du parc, qui était d'ordinaire si vivant. Elle trouva une place sur le
gazon et étendit une couverture, avec l'aide
de Brendan et de Sophia, parmi les autres
spectateurs qui étaient déjà assis en attendant le début du spectacle.

— Ça, dit Sophia en levant les yeux vers
les intenses projecteurs qui les entouraient,
c'est trop mortel!

Tous trois étaient allongés dans l'enclos
des gagnants, situé sous la scène, et même
Olivia devait bien admettre que c'était plutôt cool. Elle n'avait jamais vu un groupe
jouer en direct de si près.

— Es-tu prête à entendre ta nouvelle
chanson préférée? lui demanda Brendan
en la poussant légèrement pour la taquiner.

Elle baissa le menton et dit :

— Toute chanson qui compare l'amour au fait d'être transpercé par un pieu ne trouvera jamais sa place sur mon iPod !

Les lumières s'estompèrent et une acclamation monstre s'éleva de la foule. Brendan aida Olivia à se relever juste avant que la foule ne se précipite d'un même mouvement vers l'avant de la scène. C'était complètement fou ! Olivia s'agrippait à la main de Brendan pour ne pas se faire écraser.

« Les fans des Pall Bearers sont totalement dingues ! » se dit-elle.

— Brendan ! cria Olivia en s'agrippant toujours à lui.

Sa main était brûlante, comme s'il faisait 45 degrés de fièvre.

— Est-ce que ça va ? lui demanda-t-elle.

— Oui, oui, répondit-il en lâchant sa main. Je vais bien.

Olivia leva les yeux vers lui ; elle ne savait pas exactement pourquoi, mais elle avait le sentiment que Brendan ne lui disait pas toute la vérité. Il semblait avoir chaud et était très agité.

« Il y a définitivement quelque chose qui cloche », se dit-elle.

Mais avant qu'elle puisse le questionner davantage, les haut-parleurs et les amplificateurs situés aux extrémités de la scène se mirent en marche et la musique explosa littéralement dans ses oreilles. Mais comment les vampires pouvaient-ils endurer ça, eux qui avaient l'ouïe si sensible ? Olivia était humaine et elle avait peine à tenir le coup ! C'était sans aucun doute le bruit le plus fort qu'elle ait entendu de toute sa vie. Elle aurait volontiers bouché ses oreilles, si seulement ses bras n'avaient pas été collés le long de son corps, coincés par la foule. Maintenant, elle ne pouvait plus qu'endurer. Elle se sentait comme ses parents ; elle n'avait qu'une envie, leur crier de baisser le volume !

Sophia sautillait à ses côtés, levant son poing dans les airs au rythme du martèlement de la batterie. Une lumière rouge illumina soudainement la scène, révélant les Pall Bearers vêtus de jeans cigarette et de t-shirts déchirés. Le guitariste principal frappa les cordes de son instrument, donnant le coup d'envoi à une chanson sans mélodie et sans rythme.

Nuit d'effroi, délices nocturnes atroces
Éteins les lumières et
Hurle de toutes tes forces…

Olivia n'avait rien contre les gothiques, mais leurs goûts en matière de musique étaient tout bonnement horribles.

« Ça ne pourrait pas être pire... », songea-t-elle.

C'était du moins ce qu'elle pensait avant que la foule ne se mette à danser, si on pouvait vraiment appeler ça de la danse. Les spectateurs se déplaçaient d'un côté et de l'autre, comme un serpent enragé se tortillant sur lui-même, et Olivia n'avait d'autre choix que de se laisser entraîner par le courant.

— Aïe! s'exclama Olivia en se faisant piétiner un orteil. Ouf!

Elle reçut ensuite un coup de coude dans le dos, ce qui la fit basculer vers l'avant. Lorsqu'elle retrouva son équilibre, elle tenta de se mettre sur la pointe des pieds afin de voir ce qui se passait devant elle. Elle distingua alors un groupe de garçons turbulents qui se poussaient et se donnaient des coups de pied en criant : « *Mosh, mosh, mosh, mosh!* »

« C'est vraiment censé être amusant? » se demanda Olivia.

Lors d'une courte pause entre la première et la deuxième chanson, Olivia en profita pour adresser quelques mots à Sophia :

— Ça te dérange si je pars maintenant ? lui demanda-t-elle en tirant sur la manche de son t-shirt délavé à l'effigie des Pall Bearers. Je ne suis pas sûre de vouloir être sourde demain, ajouta-t-elle en sentant ses oreilles bourdonner.

Sophia enveloppa Olivia dans un gros câlin.

— Merci beaucoup, beaucoup d'avoir fait ça pour nous. J'étais tellement excitée à l'idée d'assister à ce concert, tu n'as même pas idée !

Malgré l'inconfort qu'elle ressentait dans tout son corps, Olivia ne put s'empêcher de sourire. Quelques côtes endolories et une légère perte auditive ? Ce n'était pas si grave après tout.

« Oui, ça valait amplement la peine. Si seulement Ivy pouvait être ici... », se dit-elle.

Elle avait déjà commencé à se frayer un chemin à travers la foule lorsque le chanteur se plaça à l'avant de la scène, un microphone dans les mains.

— Pour notre prochaine chanson, nous avons besoin d'un choriste volontaire.

Un million de «Choisis-moi, choisis-moi!» retentirent alors dans la foule, mais une chose était certaine, Olivia ne faisait pas partie du lot. Elle regarda par-dessus son épaule; le chanteur était un beau gothique élancé qui portait un t-shirt à motif de dragon — à moins que ce ne soit un tatouage?

— Nous avons choisi une personne au hasard parmi les heureux gagnants de notre concours, dit-il en dépliant un morceau de papier et en l'agitant au-dessus de sa tête. Où est Ivy Vega?

Olivia, bouche bée, s'arrêta net.

«C'est pas vrai!» songea-t-elle.

— Dis-moi encore pourquoi on a pensé que je pourrais faire tout ça sans me mettre dans le pétrin? siffla-t-elle à Brendan.

Les sourcils de Sophia se haussèrent et elle porta ses mains à ses joues, bouche bée.

— Désolée, lui murmura-t-elle.

«En fait, ça ne devrait même pas me surprendre», se dit Olivia.

Chaque fois qu'Ivy et elle avaient procédé à un échange, elle s'étaient mises dans des situations complètement folles entraînant chaos, confusion et gêne.

Mais, avant même qu'Olivia ne puisse comprendre ce qui lui arrivait, des fans déchaînés la soulevèrent dans les airs et la portèrent sur leurs épaules. Elle se souvint alors du moment où ses camarades de classe l'avaient portée tout autour du gymnase lors du bal qu'elle avait organisé. Ce souvenir prit néanmoins fin abruptement lorsqu'elle se sentit basculer sur le dos et transporter au-dessus de la foule jusqu'à la scène.

Une fois à destination, elle se fit remettre sur ses pieds par la force brute de cette marée humaine qui se trouvait derrière elle. La vue de tous ces fans agités qui se remuaient et se tortillaient sur le parterre lui donna une drôle de sensation nauséeuse. Les projecteurs de scène la baignaient d'une lumière ardente.

Elle vit qu'un technicien s'approchait du côté droit de la scène, un microphone dans les mains.

« Quelle horreur ! » se dit Olivia en commençant à paniquer.

Elle prit le microphone d'un air hébété ; elle n'arrivait pas à croire ce qui lui arrivait. L'idée d'un karaoké était déjà plutôt terrifiante en soi, mais ça, c'était mille fois pire. Elle aperçut alors Brendan et Sophia au pied de la scène; ils étaient tous deux bouche bée.

Le chanteur du groupe, dont elle avait déjà oublié le nom, lui fit un signe de cornes de diable en plaçant ses doigts derrières ses oreilles. Ne sachant trop que faire, Olivia fit de même.

— Ouais! s'exclama-t-il en sautant très haut dans les airs pour retomber lourdement sur la scène. Là, je suis certain qu'Ivy sait quoi faire, dit-il à la foule. Mais, juste au cas où elle serait un peu nerveuse, aidons-la en lui rappelant le refrain.

Olivia essuya la sueur qui perlait sur son front en songeant qu'elle aurait bien aimé avoir un sac en papier dans lequel respirer; elle commençait à hyperventiler légèrement. Quand je dis «Je», vous répondez — il tendit alors le micro vers la foule pour qu'elle réponde.

— Te hais!

— C'est bon, dit Olivia en hochant la tête.

« L'éducation vampirique d'Ivy est mieux d'en valoir la peine, se dit-elle, parce que, la prochaine fois que je la verrai, il va falloir qu'elle se serve de tout ce qu'elle a appris pour s'en sortir indemne! »

CHAPITRE 5

« Je me demande ce qu'Olivia peut bien faire en ce moment », songea Ivy.

Elle avait souffert en silence au cours des trois derniers jours, alors que mademoiselle Avisrova s'était fait un plaisir de souligner chacune des fautes qu'elle avait commises dans son cours de bienséance. Elle avait d'abord utilisé le mauvais cure-dent pour ses crocs, puis elle n'avait pas su de quel côté de son assiette déposer son gobelet de sang et, enfin, elle n'avait aucune idée de la façon dont on devait valser sur la *Sonate Vampire* !

Mais franchement, est-ce qu'apprendre comment bien se tenir pouvait vraiment prendre *toute une année scolaire* ? Heureusement, Ivy avait d'autres cours qu'Avisrova n'enseignait pas. Elle n'aurait jamais cru être si heureuse de suivre un cours sur l'histoire de la monarchie vampirique, mais c'était là un répit fort bien accueilli.

Le point fort de sa journée était toujours, et de loin, la phytologie. Tous les jours, Ivy anticipait avec grand plaisir sa promenade jusqu'à la serre. Hier, par exemple, Helga leur avait appris à cultiver des herbes. Avec l'aide de sa partenaire de laboratoire, Petra, elle avait ainsi contribué à planter, arroser et fertiliser plusieurs types d'herbes, certaines plus familières et d'autres exotiquement vampiriques — par exemple le fenouil à crocs dont les tiges piquantes s'avançaient comme pour mordre si une main osait s'aventurer trop près.

Aujourd'hui, la phytologie était son deuxième cours à l'ordre du jour. Ivy arriva donc en classe avec une tasse de voyage fumante remplie de thé chaud au plasma, sortit un tabouret caché sous l'une des tables du côté des filles et s'assit bien sagement.

Ce cours était d'ailleurs le seul dans lequel les garçons et les filles avaient le loisir de se côtoyer. Autrement, comme le lui avait si bien expliqué Petra, ils étaient gardés si éloignés les uns des autres qu'Ivy se disait que le personnel de Wallachia devait certainement encore croire qu'il était possible que les étudiants se transmettent la peste entre eux. Même ici, ils étaient divisés par une longue table qui s'étirait d'un bout à l'autre de la serre, et les centaines de plantes en pot qui y trônaient faisaient en sorte qu'il était presque impossible que les garçons et les filles puissent se voir. Les plantes étaient tellement imposantes qu'Ivy n'avait même pas remarqué que des garçons se trouvaient dans sa classe lors de son premier cours !

Tout d'un coup, Helga frappa dans ses mains pour capter l'attention des étudiants ; elle se tenait debout sur un grand podium, histoire de pouvoir jeter un œil à la fois aux filles et aux garçons.

« Helga devient vraiment une enseignante de plus en plus douée », se dit Ivy.

Un petit sarcloir, de même qu'un râteau miniature, dépassaient de ses poches avant et sa bague de fiançailles brillait de mille feux sous les rayons du soleil qui entraient par les fenêtres de la serre.

— Bonjour à tous ! Pour la leçon d'aujourd'hui, je vais d'abord vous enseigner comment extraire correctement certains types d'herbes du sol de manière à conserver leur puissance, puis je vous laisserai faire un essai. Ça vous convient?

C'était nettement plus dans les cordes d'Ivy — *faire* quelque chose de ses 10 doigts. Elle n'aurait jamais cru aimer se servir d'outils de jardinage et porter des gants puants, mais c'était pourtant bien le cas. C'était tellement mieux que le cours de bienséance!

Après qu'Helga eut terminé sa démonstration à l'aide d'une plante de persil à cape, Ivy récupéra un ensemble d'outils de jardinage à l'avant de la classe et étala le tout sur sa table de travail.

Petra prit un déplantoir et piqua Ivy avec le bout de son outil.

— Aïe! s'écria-t-elle en se frottant le bras. Pourquoi as-tu fait ça?

Petra se pencha par-dessus leur plan de travail et lui parla du bout des lèvres.

— C'est quoi, ton problème? lui demanda-t-elle. Pourquoi tu ne fais rien?

Petra leva les yeux vers Helga, qui était occupée à expliquer à une étudiante qu'elle ne pouvait pas simplement couper les racines qui ne se montraient pas coopératives.

— Qu'est-ce que tu veux dire ? demanda Ivy en saisissant une petite pelle. Nous n'avons même pas encore commencé.

— Pas la plante idiote, répliqua Petra en soufflant dans les airs pour tenter de dégager sa frange de son visage. Tu ne rouspètes pas, tu ne cherches pas les ennuis. Tu ne fais strictement rien de typiquement Ivy !

Ivy remarqua alors que Petra tentait d'apercevoir, à travers la cloison de plantes en pot, les garçons qui se trouvaient de l'autre côté.

— J'aime Helga et je ne veux pas la vexer, lui rappela Ivy en manipulant un pot de plastique pour dégager la terre autour du persil.

— Mais tu es censée créer une distraction, lui chuchota Petra. Je dois créer lorsque l'inspiration me vient, Ivy ! Et je suis si près de mon Etan. S'il te plaît !

— Non, répondit sèchement Ivy en ramassant une poignée de terre. Je suis censée extraire cette herbe, pas créer une distraction.

« Quel genre de poème ou de dessin Petra pourrait bien créer dans une serre de toute façon ? Et pourquoi ne le ferait-elle pas pendant ses temps libres ? » se demanda Ivy en regardant tout autour d'elle et en tombant soudainement nez à nez avec Helga.

— Petra, Petra, Petra, gronda cette dernière. Pensais-tu vraiment pouvoir chuchoter sans te faire entendre? Ou as-tu oublié cette petite chose que l'on appelle l'ouïe des vampires?

Petra se fit alors toute petite sur sa chaise.

« J'imagine qu'elle préfère encourager les autres à se mettre dans le trouble plutôt que de s'y trouver elle-même », se dit Ivy.

— Avez-vous besoin d'aide avec quelque chose? leur demanda Helga tandis qu'Ivy retirait délicatement les racines de sa plante en pot.

— Non, je crois que tout va bien, répondit-elle en jetant un regard par-dessus son épaule. Et à quoi sert cette herbe en particulier?

— Le persil à cape? demanda Helga en pinçant la tige de la plante. Eh bien, son nom scientifique est Oxynamon; il est surtout utilisé pour guérir les infections vampiriques en augmentant l'oxygène dans le sang. Il peut être très pratique en cas de crise, dit Helga en faisant un clin d'œil à

Ivy et en s'approchant d'elle tout en baissant le ton. On ne sait jamais quand on va se retrouver dans une situation critique. La connaissance et la force, ce sont là les atouts les plus importants que quiconque puisse posséder.

— Mais quel nom sera utilisé à l'examen ? Comment pourrai-je obtenir un A si je ne sais pas si je dois étudier le nom latin ou le nom commun de toutes ces plantes ? gémit Petra.

— Les deux seront acceptés, répondit Helga en poussant un soupir. Tellement préoccupée par les notes…, chuchotat-elle en se retournant et en s'apprêtant à s'éloigner.

Ivy remarqua alors un reflet argenté sur le poignet d'Helga.

— Est-ce que c'est nouveau ? lui demanda-t-elle en désignant du doigt son bracelet en argent.

Comparée à Olivia, Ivy n'était définitivement pas une grande *fashionista*, mais elle était certaine qu'Helga ne portait pas ce bracelet la veille.

Cette dernière serra ses lèvres ensemble et fit mine d'être absorbée dans la contemplation de sa montre.

— Oh, c'est déjà l'heure ! s'exclama-
t-elle.

— Ooooooh, est-ce que ça viendrait
d'un certain majordome charmant ? la
taquina Ivy. Horatio peut-être ?

Helga baissa les yeux vers elle et lui
lança son meilleur regard d'enseignante
sévère.

— Peut-être, répondit-elle, la bouche
tremblant dans un effort surhumain visant
à ne pas sourire.

Lorsqu'Ivy redirigea son attention
vers sa table, elle remarqua que Petra avait
déplacé très légèrement l'une des plantes
en pot vers la gauche afin de créer une
petite ouverture dans la jungle qui les
séparait des garçons. Elle avait posé ses
coudes sur son bureau et appuyé son menton sur ses poings tandis qu'elle regardait
un beau vampire de l'autre côté, le regard
languissant. Était-ce le sujet de ses poèmes
d'amour passionnés ? Il avait des cheveux
blonds ondulés et des yeux d'un vert jaune
perçant qui la regardaient avec mélancolie.
Est-ce qu'il s'agissait d'Etan ?

Ivy jeta de petits coups d'œil discrets
aux deux amoureux, qui semblaient avoir
complètement oublié que la vie suivait

doucement son cours en dehors de leur petit concours de regards.

« J'ai peut-être été un peu dure avec Petra », se dit Ivy.

Il était évident que la pauvre fille était éperdument amoureuse, et cet échange de regards mélancoliques était ce qui se rapprochait le plus d'une vraie relation ici, à Wallachia.

« Des amoureux voués à se languir éternellement ! songea Ivy en imaginant sa sœur se pâmer devant cet amour impossible. Je me demande s'il y a quelque chose que je pourrais faire pour aider Petra en fin de compte. »

Ivy savait que c'est ce qu'Olivia aurait voulu qu'elle fasse.

« Tu peux compter sur moi, sœurette », se dit Ivy.

La reine de l'amour n'était peut-être pas à Wallachia, mais, en son absence, Ivy ferait de son mieux pour remplir son rôle avec dignité. Serait-il si difficile de réunir ces amoureux ? Après tout, qu'est-ce qui pourrait leur arriver de si affreux ?

★ 🦇 ★

Une fois le cours terminé, Ivy traversa le terrain de l'école, bien heureuse d'avoir pensé à porter ses verres de contact vampiriques protecteurs, car le soleil brillait déjà de toutes ses forces. Alors qu'elle se dirigeait vers la cafétéria, elle jeta un rapide coup d'œil vers le Gantelet.

— Traverserais-tu le Gantelet pour un garçon? dit une fille appelée Stacie alors qu'elle passait tout près d'Ivy en compagnie d'une camarade de classe.

— Jamais, répondit son amie avec emphase. Tu n'as pas entendu ce qu'on raconte? Il paraît qu'il y a des fosses cachées remplies de serpents qui n'attendent qu'un peu de chair fraîche. Et le fantôme du Gantelet a le pouvoir de faire mourir de peur quiconque s'y aventure avant même de pouvoir appeler à l'aide.

Ivy regarda la limite de la forêt et dut admettre qu'elle semblait effectivement assez effrayante, voire même hantée.

Les filles parlaient toujours :

— Quelqu'un m'a dit qu'une étudiante y est entrée une fois et que, lorsqu'elle en est ressortie, ses cheveux étaient devenus complètement blancs à cause du choc! dit l'une d'elles.

Toutes deux lâchèrent un petit rire nerveux.

«Ce ne sont que des histoires ridicules», se dit Ivy tandis qu'elle poursuivait son chemin avec Petra.

Même si elle savait que tout cela n'avait aucun sens, elle ne put empêcher un léger frisson de lui parcourir l'échine. Entrer dans le Gantelet n'était certes pas pour les faibles d'esprit, même si toutes ces histoires étaient inventées et que le seul véritable risque était de souffrir d'une grande irritation en raison de la présence de baies toxiques et de sumac vénéneux.

Petra tenait la lourde porte antique qui menait à l'édifice principal afin de laisser Ivy et ses camarades y entrer. Elles iraient dîner, puis assisteraient à leur cours d'histoire secrète, ce qui signifiait qu'Ivy pourrait passer au moins la moitié de la journée sans avoir à faire face à mademoiselle Avisrova.

Enfin, c'est ce qu'elle croyait…

Tandis qu'elle traversait le corridor principal, elle aperçut une silhouette rôder non loin d'une grosse armure en métal. Lorsqu'elle vit qu'il s'agissait de mademoiselle Avisrova, Ivy faillit bien lâcher un petit cri. Elle se tenait là, debout, complètement immobile, et lui jetait des regards noirs tout en la suivant des yeux comme ces portraits effrayants dans les films d'horreur.

«Mais c'est quoi son problème? se dit Ivy, qui n'arrivait décidément pas à comprendre comment ni pourquoi son enseignante la surveillait de si près. Elle n'a rien d'autre à faire? Comme organiser des cours parascolaires sur la douleur extrême?»

— Viens, dit Ivy à Petra en la tirant pas le bras.

Cette dernière la suivit tant bien que mal tandis qu'elle faisait des yeux de biche en direction des garçons qui se dirigeaient dans la direction opposée. Petra articula silencieusement un «Je t'aime» à Etan, qui lui faisait dos en s'éloignant avec ses camarades, puis dessina un cœur dans les airs.

Ivy grogna et leva les yeux au ciel.

— OK, OK, on a compris, arrête d'en faire tout un drame! lui dit-elle.

Elle n'eut toutefois pas le temps de s'attarder sur l'obsession de Petra pour les garçons ni sur l'étrange comportement de son enseignante, car elle fut soudainement trop occupée à se demander pourquoi ses camarades de classe la fixaient du regard comme si elles étaient toutes en totale admiration devant elle.

— Petra, est-ce que j'ai quelque chose de coincé entre les dents ? demanda Ivy en révélant ses crocs à son amie.

Elle les laissait pousser depuis son arrivée à l'Académie ; d'ordinaire, les vampires de Franklin Grove prenaient soin de bien limer leurs crocs pour que les humains ne remarquent rien d'étrange, mais, ici, les crocs étaient de rigueur, et Ivy aimait bien la sensation de ces petites dents pointues de chaque côté de sa bouche.

— Non, répondit Petra en lâchant un petit rire pour la toute première fois de la journée.

Il y eut des applaudissements tandis qu'Ivy cheminait à travers la cafétéria. Quelques filles firent même mine de lui faire la révérence ou de tomber en pâmoison à ses pieds.

« Mais qu'est-ce qui se passe ici ? se demanda Ivy. Mon altercation avec mademoiselle Avisrova devrait pourtant être chose du passé maintenant. »

Une vampire élancée avec une jolie coupe au carré sautilla alors en direction d'Ivy, un cahier et un marqueur noir dans les mains.

— Est-ce que je pourrais avoir ton autographe ? lui demanda-t-elle. Fais-le au nom d'Anastasia.

Ivy griffonna quelque chose d'inintelligible dans le cahier de cette dernière tout en se demandant si elle venait d'entrer dans un univers parallèle

— Est-ce que c'est une blague ? demanda Ivy en se faufilant dans la cafétéria avant de s'installer à une table vide avec Petra.

Elle plaça sa chaise de manière à faire dos à l'entrée et à ne pas voir le regard des autres se poser sur elle, mais cela ne l'empêcha pas de se sentir comme sous les feux des projecteurs.

Petra sortit une tablette électronique de son sac en cuir, glissa son doigt sur l'écran et commença à faire défiler les nouvelles sur sa page d'accueil. Elle se mit alors à plisser intensément les yeux et à regarder Ivy et sa tablette en alternance.

— OK, sérieusement, qu'est-ce qui se passe ? insista Ivy.

Petra était bouche bée, et les filles assises aux tables les plus proches se penchèrent vers elles pour entendre la suite.

— Mais comment as-tu fait ça ? lui demanda Petra en secouant la tête au ralenti. C'est incroyable. Comment diable as-tu réussi à faire ça ?

Avant même qu'Ivy puisse lui demander de s'expliquer, Petra lui tendit sa tablette. Son navigateur Web était ouvert sur un site de critiques de spectacles dont l'article principal traitait de la plus récente performance des Pall Bearers à Franklin Grove. On pouvait y lire : PETITE VILLE, GRAND SPECTACLE : LE SPECTACLE DES PALL BEARERS D'HIER SOIR ÉTAIT À MOURIR DE PLAISIR !

« Sacrée obscurité ! » se dit Ivy en se frappant le front.

Elle avait complètement oublié qu'elle s'était inscrite au concours ! Elle avait pourtant attendu ce spectacle depuis si longtemps, tout comme Sophia et Brendan. Elle se sentit soudainement comme transpercée par un pieu ; si elle n'y était pas, ça voulait dire qu'ils n'avaient pas pu y aller non plus. À moins que…

En poursuivant sa lecture, Ivy tomba sur une photo de sa jumelle, un microphone à la main, mimant des cornes de diable peu convaincantes et faisant de son mieux pour crier en chœur avec le groupe.

Ivy lut la légende qui se trouvait sous la photo : *Le groupe a fait monter sur scène l'une de ses super fans, Ivy Vega, afin d'interpréter leur succès* Je te hais.

Ivy déposa la tablette sur la table, ne sachant trop quoi penser de la situation.

— Ça, c'était hier ? demanda Ivy.

Petra lui fit signe que oui et dit :

— Bien sûr que c'était hier, ne joue pas les cachottières avec moi !

« Mais comment… Mais pourquoi… »

Ce devait pourtant bien être Olivia sur cette photo. Mais Olivia à un concert des Pall Bearers ? Elle ne connaissait certainement pas la différence entre *Je te hais* et *Bienvenue dans mon cauchemar* !

« Ouf, pauvre Olivia ! » se dit-elle en contemplant la photo tout en esquissant un sourire.

En y regardant de plus près, elle vit que Brendan et Sophia s'y trouvaient aussi, les coudes appuyés sur la scène et les cheveux flottant au vent tandis qu'ils se faisaient aller la tête au rythme de la musique. Cette fois-ci, Ivy éclata de rire ; au moins, elle n'avait pas à se sentir coupable que ses amis aient manqué le spectacle. Une autre victoire pour l'équipe des jumelles !

Petra saisit le bras d'Ivy et la regarda droit dans les yeux, l'air grave.

— Tu dois absolument me dire comment tu as fait ça ! lui dit-elle.

— Comment j'ai fait quoi ?

— Ivy ! s'exclama Petra en lui donnant une petite tape amicale dans le dos. *Allô*, tu peux arrêter de faire ta mystérieuse avec moi, non ? On partage une chambre après tout ! C'est quoi ton secret ? insista-t-elle en pointant la tablette du doigt. Comment, au nom de Dracula, as-tu réussi à faire ça ?

C'est alors qu'Ivy comprit ce qui se passait : les filles pensaient qu'elle avait réussi à s'évader jusque chez elle pour voir le spectacle et qu'elle était revenue à l'école — un aller-retour de la Transylvanie à Franklin Grove —, le tout dans un temps record et sans qu'un seul professeur ne s'en aperçoive !

« Oh oh, il faut absolument que je remette les pendules à l'heure », se dit-elle.

Elle prit une grande inspiration et commença :

— Écoute, dit-elle à Petra en se déplaçant légèrement afin d'éviter que des oreilles indiscrètes puissent l'entendre.

C'est alors qu'elle prit conscience qu'elle était entourée de visages remplis d'espoir qui la fixaient, les yeux écarquillés. Ces filles voulaient tellement qu'elle ait réussi cet exploit ; après des années passées à Wallachia, dans cette école si sévère qui comptait sur un véritable parcours d'obstacles pour séparer les filles des garçons, ce serait tellement merveilleux de savoir que l'une des étudiantes était si rebelle qu'elle avait non seulement réussi à entrer et à sortir de l'Académie sans permission, mais qu'elle avait aussi pu faire un aller-retour jusqu'en Amérique sans que qui que ce soit ne s'en rende compte.

Qui était donc Ivy pour détruire leurs rêves ? Chose certaine, elle devrait choisir ses mots avec le plus grand soin.

— C'est vrai que j'adore les Pall Bearers, commença-t-elle, s'attendant à une acclamation, ou même à un murmure d'émerveillement, mais en vain.

Il y eut plutôt un silence de mort. Pire, les filles avaient arrêté de sourire et s'étaient mises à reculer rapidement.

« Une minute ! se dit Ivy. Pourquoi est-ce qu'elles agissent soudainement comme si je sentais atrocement mauvais ? »

Plusieurs de ses camarades de classe lui avaient tourné le dos et étaient maintenant penchées au-dessus de leur assiette. Une fille jeta un regard nerveux par-dessus son épaule et lâcha un petit cri avant de se retourner pour chuchoter frénétiquement à l'oreille de son amie.

« Mais voy...! » se dit Ivy avant d'être interrompue par le bruit de lourds pas sur le plancher en pierres.

Un frisson lui parcourut la colonne vertébrale alors qu'une ombre apparut au-dessus de sa tête. Elle n'eut même pas à se retourner pour savoir de qui il s'agissait ; elle s'étira simplement le cou et vit, sans surprise, que mademoiselle Avisrova se tenait derrière elle, les bras croisés et le visage tordu dans une horrible expression de colère.

— Je n'aurais jamais cru que ma petite promenade me ferait voir cela, Mademoiselle Lazar. Vous avez quelques explications à fournir.

Le cœur d'Ivy battait la chamade ; l'article dans lequel apparaissait la photo d'Olivia était toujours bien visible sur la tablette de Petra, et mademoiselle Avisrova avait attendu ce moment depuis le tout premier jour.

CHAPITRE 6

Olivia ouvrit et referma la bouche à répétition pour tenter de débloquer ses oreilles; elles n'avaient pas cessé de bourdonner depuis la veille. Qui plus est, sa gorge était irritée à force d'avoir chanté — ou plutôt crié — sur scène avec les Pall Bearers.

En fait, elle était reconnaissante pour son mal de gorge, car elle n'aurait pas à trop parler avec Brendan au Bœuf et bonjour. Ils étaient déjà là depuis une demi-heure et avaient probablement échangé moins d'un mot la minute.

— Alors, as-tu aimé ta soirée hier? lui demanda Brendan, l'air un peu gêné.

« Et il a bien raison de l'être, se dit Olivia. Après tout, c'est lui qui m'a embarquée dans tout ça. »

— Si par « aimer », tu veux dire « endurer », alors oui.

Brendan regardait par la fenêtre et se tortillait nerveusement sur son siège tandis qu'Olivia examinait minutieusement ses ongles. Elle ne s'était jamais rendu compte que leur amitié dépendait autant de la présence d'Ivy, mais ça lui semblait maintenant atrocement évident.

« Je pourrais peut-être lui parler des projets de mariage de mon père biologique ? »

Mais, à bien y penser, elle se dit que cela trahirait la confiance de son père, et son cœur se fit lourd. Les genoux de Brendan montaient et descendaient sans arrêt sous la banquette ; son esprit était visiblement ailleurs. Olivia était même presque certaine de l'avoir surpris à compter les tuiles du plafond !

Lorsqu'ils avaient quitté le parc la veille, ils auraient dû discuter de chaque détail du spectacle, revenir sur tous les moments forts. Olivia savait que c'est ce qu'Ivy aurait fait si elle avait été là. Mais c'était bien ça le problème — Brendan était le petit ami d'Ivy et c'était seulement pour cette raison qu'il était ami avec Olivia. Sans Ivy...

Lorsque Sophia les avait quittés, ils avaient attendu que leurs parents viennent les récupérer dans un silence presque total, alors que tous les autres fans criaient et discutaient autour d'eux. Ça n'aurait pas pu être plus gênant, et ce n'était définitivement pas mieux en ce moment. Mais il fallait bien qu'ils aient quelque chose en commun, non?

« Oui, nous avons quelque chose en commun, se dit Olivia. Ivy. »

Mais il lui semblait que le fait de parler de la personne dont ils s'ennuyaient tous deux ne ferait que les déprimer davantage, et cette sortie était justement censée consister en une distraction amusante. C'était d'ailleurs Olivia qui avait eu l'idée d'aller traîner au Bœuf et bonjour; elle en avait fait la suggestion la veille en espérant qu'ils puissent mieux connecter sans une horde de fans surexcités aux alentours.

Elle prit une gorgée de son jus de fruits tout en regardant par la fenêtre, espérant désespérément apercevoir quelque chose qui pourrait lui permettre de débuter une conversation.

— Hé, regarde ce sac! s'écria Olivia en pointant une fille qui se promenait dans la rue avec un fourre-tout sur l'épaule. L'imprimé léopard est si tendance…

Sa voix s'éteignit néanmoins rapidement lorsqu'elle tourna son regard vers Brendan et vit qu'il regardait le sac en fronçant les sourcils comme s'il s'était agi d'un envahisseur de l'espace. Les accessoires n'étaient visiblement pas son truc ; Brendan se foutait de la mode de cette saison et de la mode en général d'ailleurs. Il portait les mêmes t-shirts à l'effigie de ses groupes de musique favoris depuis qu'elle le connaissait. Elle s'enfonça un peu plus dans sa banquette, découragée.

Une petite fille coiffée de nattes passa alors devant le restaurant en compagnie d'un adorable chiot.

« Est-ce que ça pourrait fonctionner ? » se demanda-t-elle en regardant discrètement Brendan, qui était occupé à frotter ses crocs limés contre son pouce.

Elle se retroussa le nez en concluant qu'il se fichait sans aucun doute des chiots, mignons ou pas. Elle soupira en apercevant une magnifique Mustang rouge cerise dotée de rayures de course blanches garée sur le bord du trottoir.

« Les voitures... Les garçons aiment les voitures. Oui, mais moi, je ne connais même pas la différence entre un moteur et un tuyau d'échappement », se dit Olivia.

De toute façon, elle n'était pas certaine que Brendan aimait les voitures ; il était plutôt du genre gourou de musique. Dommage qu'ils n'aimaient pas du tout les mêmes groupes...

Une serveuse vêtue d'un tablier blanc taché de graisse s'arrêta alors devant eux en sortant son bloc-notes et en récupérant le crayon posé derrière son oreille.

— Est-ce que je peux vous apporter quelque chose d'autre ? leur demanda-t-elle.

Soudain, un large sourire se dessina sur ses lèvres et elle commença à désigner Brendan et Olivia du bout de son crayon.

— Hé, est-ce que c'était un rendez-vous galant ? Je pourrais vous apporter un lait frappé avec deux pailles !

— Non ! répondirent-ils à l'unisson.

Olivia sentit ses joues devenir rouges ; c'était tellement gênant de se faire prendre pour la copine du petit ami de sa sœur !

« Je ne ferais jamais ça à Ivy ! » se dit-elle.

— Non, non, pas du tout, insista Brendan en secouant la tête énergiquement. Vous vous trompez complètement !

Il lança un regard désespéré à Olivia comme pour lui dire : « Mais comment on a bien pu se retrouver dans cette situation ? »

Olivia lui sourit. Ça avait pourtant semblé une très bonne idée au départ, mais maintenant, tout partait en vrille.

La serveuse referma promptement son bloc-notes.

— Du calme ! Je posais simplement la question, dit-elle avant de s'éloigner rapidement de leur table tout en leur jetant un dernier regard.

Brendan se laissa lourdement retomber sur sa banquette.

— Je ne comprends pas quelle sorte de chimie cette serveuse a cru voir entre nous, dit-il en fronçant les sourcils d'un air perplexe.

— Je ne sais pas, dit Olivia en croisant les bras. Elle passe peut-être une mauvaise journée. En tout cas, je pense qu'on doit absolument trouver un moyen de sortir d'ici.

— Comment ? En l'évitant ? lui demanda Brendan avec un petit rire tout en faisant un geste de la tête en direction de la serveuse, qui disputait un autre client. Nos verres sont encore pleins, elle ne nous laissera jamais partir.

Il désigna leurs verres de son pouce et Olivia sut qu'il avait raison. Elle commença à taper du doigt sur son gobelet, mais s'arrêta soudainement lorsqu'une idée de génie lui traversa l'esprit. En faisant mine de regarder distraitement par la fenêtre, elle fit passer sa main sur la table et renversa son verre.

— Oups! dit-elle en feignant la surprise et en regardant fixement Brendan. Je suis tellement malhabile…

Mais Brendan avait utilisé ses réflexes de vampire et rattrapé le jus de fruits avant même qu'il ne tombe de la table. Olivia s'attrista en voyant qu'il n'avait pas saisi son stratagème. Ivy, elle, aurait tout de suite compris son plan.

Brendan lui adressa un sourire sarcastique en redéposant son verre sur la table, puis désigna quelque chose par la fenêtre.

— Regarde, c'est Camilla là-bas, dit-il.

« Comment ai-je pu la rater », se demanda Olivia en se retournant.

Sa meilleure amie portait un béret français et était accroupie parmi les buissons, une caméra vidéo à la main, occupée à tourner une autre de ses scènes complètement folles. Sa lentille était dirigée vers un garçon vêtu d'un chic complet à rayures, le visage recouvert d'un maquillage de zombie, qui déambulait dans la rue d'un pas lourd, les bras étirés devant lui.

— Ouais! Je ferais mieux d'aller la saluer. Veux-tu venir avec moi? Après tout, cette serveuse ne peut pas m'obliger à finir ma boisson! dit Olivia en se glissant hors de sa banquette.

— Non, non, vas-y, lui répondit-il avec un sourire, l'air de dire qu'il était sans doute préférable que leur petite sortie s'arrête ici.

Elle savait néanmoins qu'il ne faisait pas ça méchamment; c'était simplement qu'il y avait un énorme vide, en forme d'Ivy, entre eux.

— À plus alors, lui dit Olivia en passant rapidement à côté de la serveuse qui fixait un reçu, l'air incrédule.

Lorsqu'elle eut atteint la porte du Bœuf et bonjour, elle regarda une dernière fois derrière elle et vit Brendan pousser un long soupir de soulagement en reposant sa tête contre le moelleux coussin de sa banquette.

En temps normal, elle en aurait été offensée, mais aujourd'hui, elle savait exactement ce qu'il ressentait.

Une fois à l'extérieur, Olivia traversa rapidement la rue, mais il n'y avait plus aucun signe de Camilla. Elle vit toutefois Aurora, une autre étudiante de l'école secondaire de Franklin Grove, appuyée contre un mur, immobile. Elle portait une robe à paillettes absolument fabuleuse qui convenait davantage à un bal ou à une cérémonie telle que celle des Oscars qu'à un après-midi en ville.

« Ça, c'est du style », se dit Olivia en s'approchant d'elle d'un air décidé.

— Hé, Aurora ! J'adore ta robe. As-tu vu où Camilla…

— Coupé !

Olivia sursauta en voyant son amie sortir de derrière une boîte aux lettres située de l'autre côté de la rue, sa caméra dans les mains.

— Olivia ! Tu as ruiné ma prise ! dit Camilla, qui était vêtue de jeans cigarette noirs, de ballerines et d'un foulard, alors qu'elle traversait la rue.

Depuis qu'elle avait écrit et mis en scène la pièce de théâtre de l'école, *Romezog et Julietron*, elle était devenue une cinéaste passionnée. Elle avait même fait un voyage à Paris pour apprendre quelques trucs du métier.

— Je suis tellement désolée! dit Olivia en portant sa main à sa bouche. Je ne t'avais pas vue. Enfin, je t'avais vue avant et je voulais savoir où tu étais passée, et...

Elle gesticulait dans tous les sens pour tenter de s'expliquer.

— Je suis entrée dans ta prise de vue, n'est-ce pas? Je suis vraiment désolée!

Olivia était fière de l'expérience qu'elle avait acquise dans le monde du cinéma en tournant un film avec Jackson.

«Mais comment j'ai bien pu faire une telle erreur?» se demanda-t-elle.

— Ce n'est pas grave, la rassura Camilla en lui souriant et en ramassant sa planchette à pinces noire et blanche.

Elle effaça les mots « Prise deux » et écrivit «Prise trois».

— J'expérimente avec un nouveau style de documentaire en caméra cachée, que je mélange au style classique des films noirs des années quarante.

Olivia n'avait aucune idée de ce que tout cela voulait dire, mais elle hocha tout de même la tête en signe d'approbation.

— C'est pour ça que je suis fringuée comme ça, grommela Aurora en ramassant la traîne de sa robe.

Camilla posa ses mains sur ses hanches.

— Tu veux que je te présente à Craig Cash, oui ou non? lui dit-elle d'un air offusqué.

Olivia en eut le souffle coupé. Aurora et Craig Cash? Grand, populaire, athlétique — il était l'un des garçons les plus en vue de toute l'école.

— Oh, wow, c'est génial! s'exclama Olivia.

Elle aurait adoré connaître tous les détails de cette histoire, mais elle vit que Camilla la regardait fixement en fronçant les sourcils.

«Bon, je sais quand on ne veut pas de moi, se dit Olivia. J'ai compris le message!»

— On se voit peut-être plus tard, alors? dit-elle à l'intention de Camilla, qui était déjà occupée à repositionner Aurora pour lui donner un air plus «Hollywood vintage».

Cette dernière se contenta de lui envoyer la main par-dessus son épaule sans même se retourner.

— À plus, lui dit-elle simplement.

— On pourrait peut-être se commander une pizza ce soir? proposa Olivia en s'éloignant.

Elle attendit une réponse avec espoir, mais en vain. Elle s'en retourna donc, la tête baissée, en direction de l'avenue Orange Grove, histoire de rentrer à la maison. Elle ne pouvait ignorer cette douleur qui lui brûlait la poitrine — était-ce la solitude? Pour la toute première fois depuis le départ d'Ivy à l'Académie Wallachia, Olivia dut s'avouer la vérité.

«Ça ne sert à rien de me faire des illusions. Je suis misérable depuis le jour où elle est partie», s'avoua-t-elle.

Elle ne se rendait presque jamais de la ville à la maison toute seule; Ivy était habituellement avec elle pour se déplacer et la taquiner à propos du dernier ensemble rose qu'elle avait acheté, ou encore pour grommeler à propos de la dernière comédie romantique qu'elle l'avait convaincue de regarder à la télévision.

Olivia se rappela le jour où sa mère l'avait laissée à l'école de Franklin Grove pour la toute première fois. Elle avait été si intimidée par ce campus qui lui semblait si ancien, mais résolument beau en comparaison du modernisme fade de sa précédente école. Franklin Grove était recouverte de lierre et ornée de gigantesques colonnes antiques; elle se souvint avoir regardé fixement cet imposant bâtiment, terrifiée à l'idée qu'elle resterait peut-être la petite nouvelle sans amis pour toujours. Cependant, elle s'était rapidement mêlée aux autres étudiants et avait même été nommée responsable de l'événement social le plus important de tous.

C'était il y avait presque un an, mais, aujourd'hui, en l'espace de quelques minutes seulement, elle s'était plutôt sentie comme si Brendan et Camilla étaient de parfaits étrangers pour elle. Et puis, comble de malheur, sa sœur se trouvait de l'autre côté de l'Atlantique, et tout cela faisait en sorte qu'Olivia commençait à se sentir de nouveau comme une exclue.

Elle savait néanmoins que tout ça faisait probablement partie des changements normaux dans la vie de tout être humain

et, qu'un jour, Ivy et elle mèneraient chacune leur propre vie — mais pourquoi
fallait-il que ce soit si horrible tout de
suite?

«Je ne suis pas prête pour ça!» se dit-
elle en songeant qu'elle n'avait même plus
de petit ami à qui parler...

Olivia fit traîner ses souliers à talons
compensés le long du trottoir, les mains
bien enfoncées dans les poches de sa
jupe rose bouffante. Ironiquement, c'est
aujourd'hui qu'elle aurait dû s'habiller
comme Ivy; ça aurait nettement mieux
collé à son humeur.

Garrick Stephens et ses amis, surnom-
més les Bêtes par tous les étudiants de
Franklin Grove, flânaient devant l'épicerie.
Garrick faisait bruyamment rebondir un
ballon de basketball sur le sol lorsqu'il leva
les yeux et vit Olivia.

— Attention! hurla-t-il en faisant mine
de lui lancer le ballon au visage.

Olivia ne réagit même pas; ils pouvaient bien essayer de lui faire peur autant
qu'ils le voulaient, elle ne les craignait plus
depuis fort longtemps. Elle avait déjà vu
tout ce qu'ils pouvaient faire et, bien franchement, ce n'était pas grand-chose.

— Tu penses que t'es une dure à cuire ? dit Garrick tandis que ses amis et lui l'encerclaient pour la forcer à s'arrêter.

Des ricanements méchants et des regards méprisants fusaient de toute part. Leur haleine était si fétide qu'on aurait dû les obliger à porter une énorme étiquette jaune et noire disant : AVERTISSEMENT ! DANGER BIOLOGIQUE !

Olivia se retroussa le nez et tenta de partir dans l'autre direction, mais Garrick lui bloqua le chemin.

— Où est ton petit ami lapin, *Olivia* ? lui demanda-t-il en fronçant les sourcils et en feignant d'essuyer des larmes avec ses poings. Oh, c'est vrai, il a rompu avec toi, n'est-ce pas ? Snif snif.

— Très drôle, répliqua Olivia en serrant les dents.

Un trou noir de la taille d'une planète se forma alors dans son estomac.

Garrick prit une fausse voix de bébé et dit :

— Oooh, Ivy n'est plus là pour te protéger ?

— Excuse-moi, dit-elle en levant les yeux au ciel et en tentant de nouveau de ressortir du cercle.

Garrick la regarda méchamment.

— Décidément, je ne vois Ivy nulle part, dit-il en faisant mine de regarder tout autour de lui.

— Écoute-moi bien, répondit Olivia en enfonçant son doigt dans la poitrine de Garrick. Tu es un *vrai* lâche, parce que tu n'as même pas le courage d'affronter une petite fille!

«Wow! J'ai vraiment dit ça?» se demanda-t-elle immédiatement.

Le visage de Garrick s'assombrit.

— Je vais te mordre, lui dit-il sèchement.

Les garçons resserrèrent leur cercle autour d'elle et Garrick montra les dents. Soudainement, Olivia se sentit étouffer.

— Éloigne-toi tout de suite, sinon je vais... Je...

— Tu vas *quoi*? l'interrompit malicieusement Garrick. Tu n'as plus ta sœur maintenant, et ton petit ami hollywoodien est parti. Pensais-tu vraiment qu'un gars comme lui resterait avec toi très longtemps?

Garrick cracha le dernier mot en s'approchant de son visage.

— Des personnes aussi célèbres ne sortent pas avec des moins que rien. Et, sans lui et Ivy, c'est exactement ce que tu es… une moins que rien.

Olivia sentit son visage s'affaisser. Puis… *Ding, ding! Ding, ding!* C'était le son d'une clochette de bicyclette; quelqu'un approchait! Une silhouette montée sur une bicyclette bleue rétro tourna alors le coin. Cette dernière était penchée vers l'avant, comme pour prendre plus de vitesse, et se dirigeait tout droit vers les Bêtes, qui s'écartèrent de son chemin juste au moment où elle freina de toutes ses forces en faisant glisser sa roue arrière dans l'intention manifeste de les frapper dans les jambes pour les faire tomber.

Ils se dispersèrent juste à temps tout en poussant de petits cris en guise de protestation. L'un d'eux tomba par terre, ses bras et ses jambes gigotant dans toutes les directions. Les autres se penchèrent pour l'aider à se relever et le dépoussiérer. La silhouette qui les regardait par-dessus les guidons de sa bicyclette était celle d'Holly.

— Non mais, t'es folle? lui cria Garrick.

Holly portait une longue robe d'été fleurie et un appareil photo pendait autour de son cou. Ses cheveux arboraient de magnifiques mèches d'un rouge vif.

— Tu aurais pu faire mal à quelqu'un, dit une autre Bête alors qu'Holly s'arrêtait près d'Olivia.

Olivia fronça les sourcils et s'approcha du visage de Garrick.

— Vous êtes des durs à cuire jusqu'à ce que quelqu'un vous tienne tête, c'est ça?

Il recula en se frottant la nuque.

— Laisse tomber, marmonna-t-il.

Holly tapa du doigt sur son appareil photo.

— Vous feriez mieux de partir avant que je prenne d'autres photos de vous en train de la harceler. C'est ce que vous voulez?

Garrick écarquilla les yeux et leva les mains dans les airs en signe de défaite.

— OK, OK. On s'en va!

Olivia savait bien que Garrick ne voulait pas que les autorités voient ces photos, car elles pourraient alors investiguer sur lui et sa bande et, si la communauté vampirique voulait préserver son secret, elle ne pouvait se permettre ce genre d'indiscrétion. Les Bêtes étaient stupides, mais pas à ce point.

Elle sentit tout son corps trembler alors qu'ils reculaient et elle en profita pour desserrer le foulard de soie noué autour de son cou.

« Une chance qu'Holly est arrivée pile au bon moment ! »

Olivia ne voulait pas vraiment se l'avouer, mais elle n'était pas certaine qu'elle aurait été capable de se sortir toute seule de ce faux pas.

Garrick s'empara de son ballon de basketball et fit signe aux autres Bêtes de le suivre en jetant un dernier regard à Olivia. Enfin, ils rebroussèrent chemin en grommelant et en se poussant amicalement.

— C'est ça, leur cria Holly, rentrez chez vous… et prenez une douche !

Elle se retourna ensuite vers Olivia et la prit doucement par le coude.

— Est-ce que tout va bien ?

— Oui, répondit-elle en lissant sa jupe. Ce n'est pas ma première querelle avec eux.

La mention de Jackson l'avait secouée comme aucune de ses précédentes disputes ne l'avait fait. Elle serra ses bras contre la poitrine tout en songeant que les Bêtes avaient eu raison sur un point : elle n'avait plus Jackson et elle n'avait pas Ivy non plus. Pour la toute première fois, Olivia Abbott se sentait vraiment seule au monde.

Holly ne lâcha pas des yeux Garrick et sa bande tandis qu'ils s'éloignaient.

— Est-ce que ce genre de choses arrive souvent à Franklin Grove? demanda-t-elle en descendant de sa bicyclette.

— Oui, dit Olivia en se rappelant une fois de plus sa première journée à l'école, alors qu'Ivy l'avait sauvée de leurs griffes. C'est le risque du métier!

— Viens ici et reprends ton souffle, lui dit Holly en l'entraînant jusqu'à l'abribus.

Elles s'assirent côte à côte, et Holly positionna sa caméra sur ses genoux. Elle appuya sur le bouton «Marche» de son appareil et le viseur s'illumina.

— Veux-tu voir mes photos? lui demanda-t-elle.

— D'accord, répondit Olivia en hochant la tête.

Sa voix était moins forte qu'à l'habitude.

Holly commença à faire défiler les photos enregistrées sur son appareil. La première était une enseigne aux couleurs vives sur laquelle on pouvait lire : REFUGE POUR ANIMAUX DE FRANKLIN GROVE.

— Hé! Ce ne sont pas les Bêtes! s'exclama Olivia en désignant du doigt une photo de chiens enjoués.

Holly rit en regardant un carlin dont la gueule était recouverte de bave et qui faisait un drôle de sourire à la caméra.

— En es-tu bien certaine ? lui demanda-t-elle. Je crois qu'on pourrait définitivement prendre celui-ci pour Garrick !

Olivia rit tellement fort qu'elle en eut mal au ventre et dut se tenir les côtes.

— Une chance que tu étais là pour les remettre à leur place, finit-elle par dire en s'essuyant les yeux.

Olivia avait pensé s'effondrer, mais Holly avait réussi à l'égayer en un rien de temps. Finalement, elle n'était peut-être pas aussi seule qu'elle l'avait pensé…

Holly fronça les sourcils.

— Eh bien, ne t'inquiète pas, je surveillerai toujours tes arrières !

Olivia serra Holly dans ses bras. Après s'être sentie si seule et abandonnée aujourd'hui, ça faisait du bien d'avoir enfin quelqu'un pour la soutenir.

« Je crois que je vais la voir beaucoup plus souvent à l'avenir », se dit Olivia avec satisfaction.

— Alors, on se reprend pour l'autre jour ? lui demanda Holly.

Olivia pencha la tête sur le côté, l'air confus.

— Je veux dire, veux-tu venir chez moi? reprit Holly.

— Oh, oui! répondit Olivia en bondissant sur ses pieds. Définitivement!

— Épatant! s'exclama Holly.

En entendant cette expression, Olivia se dit qu'elle devrait tenter de s'habituer au style unique de sa nouvelle amie!

Elles marchèrent donc ensemble, Holly trottant à côté de sa bicyclette tout en tenant fermement son guidon.

— Veux-tu appeler ta sœur pour qu'elle nous rejoigne? demanda Holly. J'aimerais vraiment la rencontrer.

Olivia était sur le point de lui rappeler que sa sœur était à l'extérieur du pays, mais Holly enchaîna:

— Je n'ai pas vraiment de musique qui lui plairait, mais on pourrait quand même être ensemble. Je veux dire, ça prend du temps pour s'habituer aux Pall Bearers, n'est-ce pas?

C'est à ce moment qu'Olivia comprit: Holly avait vu sa photo dans le journal et pensait qu'il s'agissait d'Ivy et qu'elle était revenue de la Transylvanie!

— Holly, ce ne sont que..., commença Olivia lorsque le téléphone de cette dernière émit un bip sonore.

Holly leva alors un doigt dans les airs en lisant le message texte qu'elle venait de recevoir.

— Je suis désolée, Olivia, mais je dois y aller, dit-elle en agitant son téléphone. On se parle plus tard, d'accord ? J'ai très hâte de rencontrer Ivy et de lui poser un tas de questions sur la Transylvanie. Je pourrais peut-être aussi prendre des photos cool d'elle. Si elle me donne quelques informations sur l'Europe, je suis sûre que ça m'aidera vraiment à percer comme journaliste. Il y a un concours d'écriture sur les voyages et la date limite pour déposer sa candidature est à la fin de la semaine. Les participants doivent interviewer quelqu'un qui a exploré le monde. Et Ivy serait tellement cool sur la photo aussi, si elle est comme tu dis qu'elle est !

— Mmh, ouais, marmonna Olivia. Elle est totalement cool. Et merci pour tout. J'apprécie vraiment ce que tu as fait pour moi.

Mais Holly ne l'écoutait plus... Elle était déjà remontée sur sa bicyclette et pédalait frénétiquement dans la direction opposée.

Olivia ne savait pas comment la remercier adéquatement, et elle ne pouvait se résoudre à l'idée de lui avouer qu'Ivy n'était pas encore de retour et qu'elle ne pourrait donc pas la questionner ni la prendre en photo.

« Si elle n'obtient pas son entrevue, son rêve de percer dans le monde du journalisme sera terminé avant même d'avoir commencé. Je me sentirais tellement coupable ! » songea-t-elle.

Au même moment, une idée commença à prendre forme dans son esprit. Une idée dangereusement futée... Si elle avait pu s'habiller comme sa jumelle pour décrocher une paire de billets pour un spectacle, elle pouvait sans doute faire la même chose pour contribuer à l'essor de la carrière de sa nouvelle amie ! S'il y avait une chose qu'Olivia n'avait pas en ce moment, c'était bien des amis. Holly avait été là pour elle lorsqu'elle en avait eu besoin et, pour Olivia, ça comptait pour beaucoup.

Elle se souvint alors de ses débuts en tant qu'actrice et de la peur qui l'avait envahie lors des auditions pour *The Groves*.

Elle avait néanmoins eu sa chance, alors ce serait bien d'aider Holly à obtenir les photos dont elle avait besoin; elle n'aurait qu'à se faire passer pour Ivy une fois de plus.

C'était certainement la bonne chose à faire, n'est-ce pas?

CHAPITRE 7

Ivy se réveilla en sursaut; elle avait entendu quelque chose. Et voilà, encore le grincement d'un couvercle de cercueil qui s'ouvrait. Elle appuya le bouton situé sur le côté de sa montre numérique et l'écran de celle-ci s'illumina. Minuit!

Ivy jeta un coup d'œil furtif à l'extérieur de son cercueil et vit Petra sortir du sien en refermant silencieusement son couvercle afin ne pas réveiller les autres filles. Elle la regarda enfiler une paire de chaussures de sport et se faufiler hors de leur chambre.

Ivy se recoucha dans la doublure en velours de son cercueil et regarda fixement la noirceur qui l'entourait.

«Petra va voir Etan, j'en suis sûre», se dit-elle.

Les gens étaient vraiment capables de faire toutes sortes de bêtises en amour. Ivy aurait bien voulu empêcher Petra d'en commettre une, mais ses paupières étaient si lourdes... Elle n'avait dormi que quelques heures et puis, elle voulait vraiment que Petra retrouve son amoureux. Qui plus est, elle avait déjà eu assez de problèmes depuis que mademoiselle Avisrova avait lu l'article prouvant qu'«elle» avait assisté au spectacle des Pall Bearers. En guise de punition, on lui avait fait nettoyer les cages de toutes les chauves-souris de l'école!

«Je ne me mets plus dans le pétrin pour qui que ce soit, se dit Ivy. C'est fini.»

Mais pouvait-elle réellement demeurer dans son cercueil bien douillet et laisser son amie Petra se créer des problèmes par-dessus la tête, toute seule là-dehors?

«Que ferait Olivia dans une situation comme celle-là?» se demanda Ivy.

Elle ouvrit alors les yeux et poussa un long soupir. Il était évident que sa sœur serait allée aider Petra.

«Mais pourquoi moi? Pourquoi je me sens si coupable de laisser une écolière sortir toute seule la nuit?» se demanda-t-elle en se frottant les yeux.

Elle ne pouvait néanmoins pas laisser sa camarade se nuire à ce point, ce qui était certain de se produire si elle tentait de traverser le Gantelet pour aller retrouver son amoureux.

Ivy ouvrit alors le couvercle de son cercueil, en sortit, puis le referma en poussant sur le centre de l'armoirie qui y figurait afin de le verrouiller. Elle enfila ses souliers de jogging noirs et mit son manteau par-dessus son t-shirt et ses pantalons en coton ouaté. Elle entendit de doux ronflements en provenance des autres cercueils de la chambre, signe que ses camarades dormaient profondément.

« J'espère que Petra me remerciera pour ça ! » se dit-elle en se faufilant par la porte dans le but de la suivre.

Elle crut alors entendre un bruissement derrière elle, dans le corridor frisquet, mais, lorsqu'elle se retourna brusquement pour regarder, elle ne vit personne. Étrange, son ouïe de vampire ne lui faisait jamais défaut habituellement.

Elle avança dans le corridor, fit glisser le verrou d'une grande porte et la referma doucement derrière elle. Une fois à l'extérieur, elle entoura son corps de ses bras et les frictionna. La nuit, les terrains de l'Académie étaient la chose la plus sinistre qu'elle ait vue de toute sa vie ; on aurait dit un cimetière un soir d'Halloween. Une faible lueur émanait de la façade en pierres de l'école, et les haies taillées semblaient prendre vie dans la brise nocturne. Chaque craquement de branches et chaque froissement de feuilles lui semblait horriblement menaçant.

Ivy tenta d'ajuster son ouïe pour se concentrer sur les pas de Petra. Elle put alors entendre les chaussures de cette dernière se caler dans l'herbe molle et la terre. Elle accéléra et décela des traces de pas sur le sol ; Petra se dirigeait définitivement vers l'effrayante forêt remplie de pièges qui séparait le dortoir des filles de celui des garçons.

Ivy se précipita alors vers elle sans se soucier de qui pouvait l'entendre. Elle la retrouva rapidement à l'orée du bois, regardant fixement un passage étroit qui débutait entre deux bouleaux.

— Tu es folle ? siffla Ivy.

— Non, je suis amoureuse, répondit Petra en joignant ses mains ensemble. Mon cœur me fait mal. Est-ce que tu connais cette sensation ?

— Bien sûr que je la connais. Mon petit ami est en Amérique, ce qui, au cas où tu l'aurais oublié, est beaucoup plus loin que l'extrémité de cette forêt.

Petra lui fit un geste de la main, comme pour lui dire que son argument n'était pas pertinent. Ivy vit alors que son amie tenait une enveloppe dans ses mains, et elle se dit qu'elle devait sans doute contenir un autre dessin ou un autre poème dans lequel l'amour prenait toute la place.

— Si tu l'aimais vraiment, tu ne serais jamais partie, dit Petra.

— Quoi ?!

Ivy ne savait plus si elle devait rire ou crier.

« Les vampires et leurs idées ridicules concernant l'amour ! »

C'était peut-être une bonne chose, après tout, qu'ils ne soient pas pleinement intégrés dans la société ; ils feraient reculer le progrès d'au moins 300 ans. Ivy prit une grande inspiration et lui dit :

— Tout ça ne va rien régler, tu sais. Tu vas seulement rester coincée dans l'un des pièges, un enseignant devra venir te sauver, et tu auras des problèmes à n'en plus finir. Qu'est-ce que ça te donnera au bout du compte?

Petra pressa le dos de sa main contre son front dans un geste totalement dramatique.

— Tu ne comprends pas, il faut que je me prouve à Etan, lui dit-elle en s'élançant vers la forêt.

— Attends! s'exclama Ivy en s'empressant de lui emboîter le pas.

La forêt était aussi noire que l'encre; même avec sa super vision de vampire, Ivy peinait à voir quoi que ce soit devant elle. Elle pouvait tout juste discerner la pâle silhouette de Petra qui courait quelques mètres plus loin. Elles n'avaient même pas encore parcouru 10 mètres lorsque Petra trébucha sur un fil enfoui dans le sol; elle tituba quelques instants, puis tomba à plat ventre. Le fil actionna un levier, qui fit apparaître un énorme nid de guêpes se balançant au bout d'une corde attachée à un arbre. Ivy plongea vers Petra, l'entraînant sur le côté juste avant que le nid s'écrase contre le tronc d'un autre arbre. Un bourdonnement emplit soudainement l'air, mais, avant même qu'elles puissent songer à s'enfuir, le sol se déroba sous leurs pieds.

Ivy se projeta rapidement vers l'arrière, entraînant Petra avec elle.

Le sol de la forêt s'ouvrit alors sur une gigantesque fosse. Ivy y jeta un coup d'œil ; il n'y avait pas de pics comme dans les films médiévaux, mais plutôt un lac nauséabond rempli d'une substance gluante et noire qui gargouillait de l'intérieur.

Petra frappait frénétiquement les guêpes qui volaient au-dessus d'elle.

— Fais attention ! lui dit Ivy en la dirigeant vers un lieu plus sûr, à quelques pas de là. Eh bien, dit-elle en s'arrêtant, c'était bien amusant, mais maintenant on doit vraiment rentrer.

Petra brandit son enveloppe, désormais toute sale et froissée et dit :

— Absolument pas ! Je dois à tout prix livrer ça à Etan ! Toi, retourne au dortoir, tu n'es pas obligée de me suivre.

Sur ces mots, elle s'éloigna en suivant le sentier.

Ivy souffla quelques instants ; cette fille commençait vraiment à l'énerver ! Elle aurait voulu l'étrangler, mais elle ne pouvait pas non plus la laisser s'enfoncer dans ce parcours d'obstacles mortels toute seule. Elle décida alors de la suivre en regardant attentivement où elle mettait les pieds. Petra avait définitivement propulsé le terme «dingue des garçons» à un tout autre niveau!

Ivy se demanda si elle aurait fait la même chose pour Brendan. «Probablement... mais je ne lui avouerai jamais ça!» se dit-elle.

Elle rattrapa enfin Petra qui eut l'air surprise, mais heureuse.

— D'accord! J'avoue, dit-elle, je suis contente que tu sois ici.

Elles commencèrent à gravir une pente; les branches des arbres tout autour grinçaient dans le vent et Ivy tenait la main de Petra pour l'empêcher de paniquer. Soudain, il y eut un son de corde métallique et Ivy poussa Petra sur le côté, hors du sentier. Elle était sur le point de plonger à son tour lorsqu'une corde s'enroula autour de ses chevilles, tira sur ses pieds et la hissa dans les airs, au sommet des arbres. Son sang se précipita dans sa tête; elle venait d'être piégée!

— Aide-moi, chuchota-t-elle à Petra, qui s'était figée d'effroi.

Ivy entendit alors une chauve-souris voler et passer tout près de son nez. Puis, des pas lents et confiants s'approchèrent, et elle sut immédiatement de qui il s'agissait.

— Eh bien, dit mademoiselle Avisrova en s'approchant de Petra.

— Je suis dé-dé-désolée, dit Petra en baissant la tête. J-j-je ne sais pas à quoi j'ai pensé.

Ivy regardait la chevelure de mademoiselle Avisrova, contemplant la séparation en plein centre de son crâne qui lui donnait l'air sévère. Cette dernière recourba alors ses doigts autour de la nuque de Petra.

— Vous allez m'accompagner jusqu'au dortoir des filles immédiatement, lui dit-elle en repartant à travers le sentier.

Petra leva les yeux et dit :

— Mademoiselle, il y a quelqu'un d'autre en...

Avisrova l'interrompit et répéta ses paroles, avec plus d'insistance cette fois.

— Vous *allez* m'accompagner jusqu'au dortoir des filles. Immédiatement.

— Mais...

— Mais rien, hurla Avisrova. Honnêtement, je ne sais pas de quoi vous parlez. Une fille seule dans le Gantelet la nuit... c'est complètement ridicule ! Aucune fille de notre académie ne peut traverser le Gantelet.

La bouche de Petra s'ouvrait et se refermait continuellement, mais aucune parole n'en sortait. Ivy n'arrivait pas à y croire; Avisrova savait très certainement qu'elle se trouvait aussi dans la forêt. Elle était une vampire aux sens aiguisés, et elle avait réussi à prendre Petra la main dans le sac. Non, elle avait *choisi* de la laisser toute seule dans l'un des pièges du Gantelet.

Petra lançait des regards anxieux vers Ivy tandis qu'elle se faisait ramener de force vers l'Académie. Elle haussa les épaules en signe d'impuissance, et la poitrine d'Ivy se mit à se gonfler de rage. Elle plissa les yeux; elle savait qu'Avisrova voulait qu'elle appelle à l'aide, mais elle refusait catégoriquement de le faire. Cette méchante enseignante allait être très déçue, parce qu'Ivy Vega ne lui donnerait cette satisfaction sous aucun prétexte.

« Aucune fille ne peut traverser le Gantelet, hein? » se dit Ivy en sentant son sang bouillonner dans ses veines.

C'est ce qu'Avisrova pensait? Eh bien, dans ce cas, il était évident qu'elle ne connaissait pas du tout Ivy.

Aussitôt qu'elles furent hors de son champ de vision et hors de portée de voix, Ivy commença à se balancer comme un pendule. Ses muscles travaillaient fort et la corde autour de ses chevilles commençait à lui couper la peau. Il lui fallut quelques minutes pour se sortir de cette impasse, mais elle réussit finalement à se donner un élan assez grand pour pouvoir saisir la corde.

« Tiens-toi bien, Avisrova. »

Les bras d'Ivy tremblaient tandis qu'elle tentait désespérément de se remettre sur pied. Elle commença à déchirer la corde avec ses dents, grugeant les fils à l'aide de ses nouveaux crocs jusqu'à ce qu'elle entende un bruit sec. Quelques instants plus tard, elle atterrit sur le sol dans un bruit sourd.

Elle resta étendue sur le dos en attendant qu'une douleur insupportable se manifeste dans l'un de ses membres, mais rien ! Elle tâta avec hésitation le sol sous elle et souleva une poignée de feuilles brunes et molles. Elle se rassit aussitôt et regarda tout autour d'elle.

« Wow ! Je suis trop chanceuse ! » se dit-elle en voyant qu'elle avait atterri dans un tas de feuilles, lui permettant ainsi d'amortir sa chute.

Les feuilles étaient entassées en cercle, comme si quelqu'un les avaient disposées intentionnellement de cette façon.

Du coin de l'œil, Ivy aperçut l'enveloppe que Petra tenait plus tôt dans ses mains ; elle était à moitié recouverte de terre. Elle la ramassa et l'essuya. Peu importe ce qu'elle contenait, Petra devait y avoir travaillé très fort, et il était donc d'une importance capitale de la lui rapporter.

Ivy regarda tout autour d'elle pour s'assurer que rien n'était tombé de ses propres poches pendant qu'elle avait été suspendue par les pieds. Elle était sur le point de suivre Petra et Avisrova hors de la forêt lorsqu'elle s'arrêta et jeta un coup d'œil par-dessus son épaule. Elle ne pouvait qu'imaginer les serpents cachés et les araignées poilues et, bien sûr, les fils de détente qui l'attendaient très certainement plus loin dans la forêt. Elle se souvint de l'histoire de la fille dont les cheveux étaient devenus blancs lorsqu'elle était ressortie du Gantelet. Qu'avait-elle vu ? Au même moment, une autre idée fit son chemin dans le cerveau d'Ivy…

«Est-ce que je devrais compléter le parcours à obstacles?» se demanda-t-elle.

Cela prouverait certainement son point à Avisrova et à toute l'école. Si une étudiante était capable de traverser le Gantelet une bonne fois pour toutes, l'Académie Wallachia pourrait peut-être enfin faire son entrée dans le XXIe siècle. *Peut-être.*

— Je veux dire, toute cette histoire de Gantelet est totalement ridicule, dit Ivy à voix haute en essayant ainsi de se convaincre d'être brave. Je dois montrer à la direction de cette école à quel point des situations comme celles-ci sont rigides et démodées, et complètement inutiles!

Si une fille comme elle pouvait se rendre de l'autre côté... peut-être que l'école arrêterait de séparer les filles des garçons et que Petra pourrait même parler à son Etan adoré au lieu de se contenter de le dévorer des yeux.

Ivy savait que son plan était téméraire, mais n'était-ce pas pour cela qu'elle était reconnue à Wallachia? Oui, elle était maintenant bien décidée à se lancer. La seule vraie question qui lui restait à régler était à savoir comment elle pouvait conquérir le Gantelet avec succès. Elle tenta de se remémorer les conseils qu'Helga avait donnés en classe. Qu'est-ce qu'elle avait dit exactement ?

« La connaissance et la puissance sont les atouts les plus importants qu'on puisse avoir ».

Ivy avait un peu de connaissances sur les plantes et elle pouvait puiser à l'intérieur d'elle-même pour la puissance mentale et physique dont elle aurait besoin.

« Je peux réussir ! » se dit-elle.

Mais par où commencer ?

« OK. D'abord, comment faire pour éviter les fils de détente cachés au sol ? »

Ivy se rendit à l'un des plus gros arbres de la forêt. Sans hésiter, elle attrapa la branche la plus basse et se hissa pour s'y asseoir. Elle grimpa ensuite plus haut en utilisant les branches plus robustes en guise d'échelle improvisée. Heureusement pour elle, la forêt était dense et les arbres étaient si près les uns des autres qu'elle pouvait aisément se déplacer à travers la forêt sans même toucher le sol. Elle saisit donc prudemment une longue branche d'un arbre voisin et se balança jusqu'au prochain tronc, comme un pirate montant à bord d'un navire ennemi! Voilà, c'était ça la solution!

Ivy sautait et se déplaçait d'un arbre à l'autre, haletant sous ses efforts soutenus; c'était pire que le cours d'éducation physique de Franklin Grove! Après plusieurs déplacements, elle arriva à la limite de la forêt au moment même où le soleil commençait à poindre au-dessus de l'horizon. Elle regarda les teintes d'orange, de rose et de jaune se répandre sur les nuages et constata alors que la Transylvanie possédait sans doute l'un des plus beaux paysages au monde.

La lueur matinale s'enroulait autour des troncs, illuminant plusieurs plans d'Oxynamon, cette plante qu'Helga leur avait montrée en classe. Ivy n'en avait jamais vu croître de cette façon dans le monde des humains. Ici, dans la forêt, on aurait dit qu'elles poussaient à partir de l'arbre et s'enroulaient autour de son écorce. Elle en arracha de grosses poignées. Si jamais quelqu'un la voyait, elle pourrait dire qu'elle essayait d'accumuler des points en plus pour son cours de phytologie! Elle glissa les feuilles dans ses poches, sortit l'enveloppe de Petra et sauta du dernier arbre.

«J'ai réussi!» se dit-elle en se retenant de toutes ses forces pour ne pas lâcher un petit cri aigu de victoire.

Ça ne conviendrait définitivement pas au personnage de fille cool qu'elle essayait de créer. Mais voilà, elle était de l'autre côté du Gantelet, debout dans l'ombre du dortoir des garçons. Des murs en pierres, des tourelles qui s'étiraient vers le ciel… il était identique au dortoir des filles.

«Pourquoi alors faire tant de mystères?»

Elle inclina la tête sur le côté pour le voir sous un angle différent. Les vampires et leurs idées sur l'amour — ça n'aurait jamais de sens pour elle.

C'est alors que le beau visage d'un garçon apparut dans l'une des fenêtres givrées du dortoir. Ivy plissa les yeux pour essayer de voir de qui il s'agissait. Ce dernier leva un doigt dans les airs, puis disparut.

Quelques secondes plus tard, il accourait sur le gazon parsemé de rosée. Ivy ne savait pas ce qui était le plus drôle : ses cheveux tout hérissés ou son expression d'émerveillement?

— Où est Petra? s'écria-t-il en s'arrêtant net. Que fais-tu ici?

Il regarda derrière Ivy avec espoir, balayant la forêt du regard avant de se reposer finalement sur son visage. Il se racla la gorge.

— Euh, il semble y avoir une petite erreur. Tu es bien gentille et tout, mais Petra est mon amour véritable. Je veux dire, je suis certain que des garçons te trouvent bien attirante, mais…

— Ne te fais pas d'illusions! explosa Ivy.

Elle n'en croyait pas ses oreilles. Etan pensait qu'elle avait traversé le Gantelet parce qu'elle craquait pour lui!

Ivy redressa fièrement les épaules.

— J'ai le meilleur petit ami du monde qui m'attend à Franklin Grove. Je ne suis pas ici parce que je t'aime! dit-elle en dessinant un petit cœur dans les airs avec ses doigts tout en grimaçant. Je suis ici pour aider Petra.

Avant qu'Etan puisse ouvrir la bouche pour s'excuser, un craquement de branche se fit entendre. Etan sursauta et se précipita à l'intérieur tandis qu'Ivy regardait tout autour d'elle.

C'était trop bizarre. Pourquoi diable est-ce que tout le monde était si nerveux ici?

«Une chance que j'ai un petit ami normal, se dit-elle en soupirant. C'est seulement dommage qu'il ne soit pas ici, en Transylvanie.»

Elle avait peut-être fait le mauvais...

Des applaudissements retentirent alors derrière elle.

— Bravo, bravo!

«Zut alors!»

Le cœur d'Ivy fit un bond dans sa poitrine. Elle se retourna et vit mademoiselle Avisrova qui affichait une affreuse grimace. Mais comment avait-elle fait pour arriver si rapidement?

Ivy serra la mâchoire.

«Et c'est parti», se dit-elle.

— Vous savez..., commença l'enseignante en se promenant autour d'elle. Je vous ai sentie, Mademoiselle Lazar, là dans la forêt, à un kilomètre de nous. Et je savais que vous seriez suffisamment insolente pour tenter de compléter le parcours.

— J'ai bel et bien complété le parcours, la corrigea Ivy.

Mademoiselle Avisrova l'ignora.

— Cette fragrance américaine prétentieuse crée une puanteur facilement reconnaissable.

« Ça doit sentir meilleur que *Eau de Snob* », se dit Ivy, mais elle réussit à se tourner sa langue sept fois dans sa bouche et à s'empêcher de répliquer.

Mademoiselle Avisrova saisit alors l'enveloppe souillée des mains d'Ivy.

— Qu'avons-nous ici ? demanda-t-elle en parcourant des yeux l'écriture fleurie. Très bien, poursuivit-elle d'un ton sec. Comme le veut la coutume, le gage d'amour sera remis à celui à qui il est destiné.

Ivy fronça les sourcils. D'un côté, elle était heureuse que la lettre de Petra soit acheminée à son amour véritable, mais de l'autre...

— Que voulez-vous dire par « coutume » ? demanda-t-elle. Le Gantelet avait-il déjà été conquis par l'amour ?

Les sourcils d'Avisrova faillirent disparaître dans ses cheveux.

— Je n'ai pas à vous expliquer ce que je veux dire, dit-elle d'une voix haute et fébrile.

Puis, elle sembla se forcer à se détendre et baissa les épaules.

— J'ai quand même un cœur, vous savez. Etan aura sa lettre.

Pendant un instant, Avisrova regarda discrètement en direction du dortoir des garçons.

— J'ai déjà été amoureuse, vous savez...

« Amoureuse ? »

Ivy ne pouvait pas concevoir une telle chose.

La douce expression qui s'était manifestée sur le visage d'Avisrova disparut aussi vite qu'elle était venue. Elle se racla la gorge.

— En ce qui vous concerne, Mademoiselle Lazar...

Les cheveux sur la nuque d'Ivy se dressèrent.

— Vous vous rapporterez à mon bureau après les cours, dit-elle en lançant un regard vers le Gantelet, un sourire se dessinant aux coins de sa bouche. Mais vous feriez mieux de vous dépêcher, car je veux que vous soyez dans votre chambre avant que vos camarades ne se réveillent.

« Fantastique, se dit Ivy en plissant les yeux pour contrer le soleil levant tandis qu'Avisrova se dirigeait vers le dortoir des garçons. Je dois maintenant repasser à travers la forêt sans que mes cheveux deviennent blancs pour aller attendre ma sentence. »

Elle tenta de ne pas trop frissonner dans l'air frisquet de l'aube tout en se demandant ce que sa sœur pouvait bien faire en ce moment.

« Olivia ne se mettrait jamais dans une situation pareille, se dit-elle. Pourquoi je ne ressemble pas plus à ma jumelle ? »

CHAPITRE 8

Min. : 32 °C.
Max. : 36 °C.
Température actuelle : 33 °C.

Olivia referma le couvercle en strass rose de son cellulaire. Évidemment, l'univers ne voulait pas coopérer afin qu'elle puisse réussir son mensonge. Maintenant, le mieux qu'elle pouvait espérer était de parvenir à sortir de chez elle sans que qui que ce soit ne la voie — surtout ses parents.

Elle alluma la webcam et Ivy, assise à son bureau, apparut à l'écran. Elles s'étaient échangé des messages textes et Ivy s'était arrangée pour prendre un petit 10 minutes pendant sa pause de repas pour avoir une conversation vidéo avec Olivia.

— Salut, sœurette! dit Olivia en envoyant la main à la caméra. Tu me trouves comment?

Les yeux d'Ivy s'écarquillèrent.

— Horrible! Qu'est-ce que tu portes?

Olivia regarda le coin de l'écran qui affichait son reflet tel qu'Ivy le voyait depuis son ordinateur. Elle avait lourdement maquillé ses yeux d'un trait de crayon noir et enrobé ses lèvres d'une épaisse couche de rouge à lèvres *Mauve de minuit*. Ses cheveux foncés étaient coiffés en un chignon retenu en place par deux baguettes.

Olivia haussa les épaules.

— Tu sais ce qu'ils disent : « L'imitation est la plus sincère des flatteries. » Et, en passant, tu as l'air un peu, euh, échevelée toi-même.

Elle ne voulait pas trop en ajouter, mais on aurait dit que sa sœur avait été traînée, tête première, à travers une haie!

Ivy s'aplatit promptement les cheveux.

— Euh, j'ai eu une petite aventure de minuit, dit-elle.

— Oh, génial! s'écria Olivia en frappant ses mains ensemble. Un festin de minuit? Je savais que tu te ferais rapidement des amies. Raconte-moi ça!

À l'écran, Olivia vit Ivy camoufler un bâillement.

— En fait, ce n'était pas un festin. Je dirais plutôt un parcours d'assaut!

Olivia se plissa le front en une expression de curiosité tandis qu'Ivy poursuivait.

— Je te conterai tout ça une autre fois… après une bonne nuit de sommeil, dit-elle. Dis-moi donc ce que tu fais ces temps-ci. Pourquoi le maquillage gothique?

— Mmh, tu vois, je me suis laissée piéger dans un *minuscule* petit mensonge, dit Olivia en tenant son pouce et son index à deux centimètres l'un de l'autre. C'est que, eh bien, je me suis fait une nouvelle amie qui s'appelle Holly et elle tenait vraiment beaucoup à te rencontrer et à t'interviewer sur la Transylvanie. Elle veut devenir journaliste et elle s'est inscrite à un concours d'écriture de voyage et… elle croit que tu es revenue au pays.

Ivy se frappa le front de la main.

— Quoi? Je ne pouvais quand même pas lui dire que tu étais dans un pensionnat pour vampires! Et puis, elle croit que le fait d'obtenir des photos de toi l'aidera à gagner le concours et je ne veux pas la décevoir. Le concours se termine à la fin de la semaine.

Ivy secoua la tête en faisant claquer sa langue.

— Olivia, Olivia, Olivia, dit-elle en lui faisant un grand sourire taquin. N'oublie pas de pratiquer ton meilleur regard de la mort! Au moins, je sais que tu peux le faire, comme pour le spectacle des Pall Bearers.

— Tu as entendu parler de ça? lui demanda Olivia en cachant son visage dans ses mains et se mettant à trembler de rire.

— Oh oui, on en a tous entendu parler ici, et j'ai eu beaucoup de difficulté avec ça, car mon enseignante a pensé que je m'étais sauvée de l'école pour y aller!

Olivia retira soudainement ses mains de son visage.

— Oh non, je suis vraiment désolée…

Elle n'arrivait pas à le croire.

« J'ai mis ma jumelle dans une situation impossible en essayant d'aider son petit ami. C'est plutôt tordu. »

Ivy agita une main dans les airs et dit :

— Ne t'en fais pas pour ça. Je réussis assez facilement à me créer des soucis par moi-même.

Son sourire s'effaça.

— J'espère que tu n'as pas encore le mal du pays, lui dit Olivia, soudainement inquiète.

Ivy haussa les épaules.

— Un peu. Et toi? Comment tu te sens maintenant que tu es célibataire à nouveau? Est-ce que tout va bien?

Olivia sourit bravement.

— Ça va de mieux en mieux. Un jour à la fois.

Une cloche se fit entendre du côté d'Ivy.

— Oups, l'heure du repas doit être terminée. À plus tard sœurette! dit Ivy en lâchant un petit rire avant de fermer sa session.

Les mains d'Olivia commençaient à être moites, et son cœur battait très fort dans sa poitrine. Et si jamais elle ne réussissait pas à se faire passer pour Ivy?

Elle descendit les marches de sa chambre sur le bout des pieds. Comment allait-elle pouvoir expliquer le long manteau et la veste à capuchon qu'elle portait? D'abord, on annonçait une journée des plus torrides à Franklin Grove et puis, cet ensemble ne concordait pas du tout avec son style vestimentaire habituel. C'était d'ailleurs le même ensemble qu'elle avait porté au spectacle des Pall Bearers.

« Mais qu'est-ce que je fais là ? À quoi j'ai pensé ? se dit Olivia en cédant momentanément à la panique. Est-ce que j'ai vraiment pensé que je pourrais réussir ça ? »

La première fois était peut-être le fruit du hasard. Mais la deuxième ? C'était peut-être trop en demander au destin. Et comment s'était-elle retrouvée à devoir cacher un mensonge sous un autre mensonge ?

« Il fallait que je raconte le premier mensonge », se dit Olivia pour la trentième fois de la matinée.

Elle n'avait pas eu le choix, car autrement, elle aurait déçu Brendan et Sophia. Et pourtant, elle avait quand même le sentiment que tout ça n'allait pas bien finir.

Une dernière marche et… *Craaaaaaaaaac !* Olivia se replia.

— Olivia, es-tu là ? appela sa mère.

« Oh non ! » songea-t-elle en se précipitant vers la porte d'entrée.

Manque de chance, sa mère sortit du salon au moment même où elle posait la main sur la poignée.

— Pourquoi portes-tu ce grand manteau, ma chérie ?

Olivia saisit son capuchon et le retira rapidement. Puis, elle sortit des lunettes fumées de la poche de son manteau et les mit aussitôt sur son nez.

« Pense vite, Olivia. »

— Oh, euh…

Elle ferma les yeux pendant une fraction de seconde et, lorsqu'elle se retourna, elle afficha son caractéristique sourire éblouissant.

— Tu sais, je vais chez Charles tout à l'heure, dit-elle en tentant de garder un ton nonchalant. Pour discuter du mariage, les plans sont encore très secrets, tu te souviens, et je crois bien que je vais revenir avec des cahiers, des revues de mariage et des brochures de voyage. Alors, j'avais besoin de quelque chose avec de grandes poches.

Elle les ouvrit pour soutenir son argument.

Lorsqu'Olivia avait joué dans son premier film, *The Groves*, la tête du très réputé studio hollywoodien Harker lui avait dit : « Tu sais, petite, la clé pour vendre n'importe quel rôle est d'abord et avant tout la confiance en soi ; les petits détails viennent ensuite. »

Madame Abbott haussa les épaules d'un air un peu perplexe.

— OK, c'est bon. Amuse-toi, et j'espère que tu n'auras pas trop chaud dans cette chose.

Olivia sortit, referma la porte derrière elle, puis remit son capuchon pour se remettre dans la peau d'Ivy.

« Je jure que si j'arrive à me sortir de ce gâchis, je ne raconterai plus jamais de mensonges », se promit-elle.

Olivia examina son reflet une dernière fois dans la fenêtre de chez Monsieur Smoothie. Elle ressemblait effectivement à Ivy, mais en plus bronzée. Elle retira son manteau et le déposa sur son bras. Holly ne savait pas pourquoi Ivy était toujours si pâle, alors Olivia devrait pouvoir s'en tirer ; elle pourrait aisément se dire qu'elle avait passé beaucoup de temps à l'extérieur pendant ses vacances en Europe. Olivia faillit éclater de rire en imaginant sa jumelle se porter volontaire pour une quelconque activité extérieure ; c'était une idée complètement ridicule ! Elle jeta un coup d'œil à sa montre et révisa une fois de plus son plan dans sa tête. Il était présentement 10 h du matin, et elle allait bientôt entrer en se faisant passer pour Ivy. Elle dirait à Holly qu'Olivia arriverait bientôt et qu'elles pouvaient commencer sans elle. Cela donnerait la chance à Holly de prendre quelques photos, puis, à 10 h 22, Sophia l'appellerait. Elle ferait alors semblant que la vraie Olivia était au téléphone, puis elle dirait à Holly que sa sœur était retenue chez leur père pour l'aider à faire quelque chose de très important et qu'elle devait absolument aller maintenant la rejoindre. Elle s'excuserait et proposerait de se reprendre une autre fois pour une sortie à trois.

« Comme quand Ivy reviendra de la Transylvanie », se dit Olivia.

C'était plutôt simple, non ?

Olivia prit une grande inspiration tout en se disant que traverser cette journée sans faire une crise cardiaque tiendrait véritablement du miracle ! Une sonnette se fit entendre lorsqu'elle entra dans le restaurant ; elle balaya rapidement l'endroit du regard et reconnut immédiatement Holly grâce à ses longues mèches de cheveux rouges. Elle était assise sur une banquette dans un coin de la salle, dos à la porte.

Olivia s'approcha d'elle, mais se ravisa. « Pas tout de suite… », se dit-elle.

Après tout, Ivy ne savait pas qui était Holly ni à quoi elle ressemblait puisqu'elle ne l'avait encore jamais rencontrée. Elle ne pouvait donc pas s'approcher d'elle comme ça.

— Non, marmonna doucement Olivia pour elle-même. Reste cool.

Elle savait que c'est ce qu'Ivy aurait fait dans de telles circonstances, et elle devait vraiment jouer son rôle à la perfection.

« Tout est dans les détails, se rappela-t-elle. Bon, par où commencer ? »

Olivia se dirigea vers le côté opposé du Monsieur Smoothie, pensant ainsi déjouer un peu Holly. Elle se promena nonchalamment tout en s'assurant de regarder tous les clients un à un.

Une fille vêtue d'un chandail de football et d'une paire de jeans leva les yeux du smoothie Mocha Choca Latte qu'elle remuait.

— Qu'est-ce que tu regardes, la gothique ?

Olivia se figea. Si elle était la vraie Ivy, elle aurait eu quelque chose de cinglant à dire.

« Pas toi, buveuse de smoothie. »

Non, c'était terrible.

« Va donc jouer ailleurs, la footballeuse. »

C'était encore pire.

Rien ne lui venait à l'esprit, alors elle se contenta de hausser les épaules et de poursuivre tout simplement son chemin en direction d'une autre banquette. Lorsqu'elle eut fini d'examiner presque toutes les banquettes disponibles, Olivia décida qu'elle avait joué le jeu assez longtemps. Elle s'approcha de l'endroit où Holly était assise avec son appareil photo, lui tapa doucement sur l'épaule et dit :

— Es-tu la copine d'Olivia ?

« Copine ? Mais qui dit ça de nos jours ! » se gronda-t-elle immédiatement.

Holly ferma le viseur de son appareil photo et étudia « Ivy ». Elle sourit.

— C'est bien moi, répondit-elle en lui tendant la main. Je m'appelle Holly. Je suis contente de te rencontrer enfin ! Comment c'était, la Transylvanie ?

Olivia se glissa dans la banquette de cuir rose qui faisait face à Holly.

— C'était bien. En fait, j'y retourne demain.

Elle avait inventé une histoire pour se couvrir. Si Ivy devait retraverser l'Atlantique dès le lendemain, Holly ne pourrait absolument pas s'attendre à une autre rencontre. Après tout, Olivia ne pourrait jouer ce petit jeu indéfiniment !

— Ouais, c'est totalement mortel, ajouta-t-elle.

Holly fronça les sourcils.

— Tu n'avais pas dit que c'était bien ?

Olivia réprima un réflexe de rire nerveux en songeant que ce n'était pas du tout le genre d'Ivy. Mais qu'est-ce qu'elle était stupide ! Les lapins ne savaient pas que « mortel » voulait dire « génial » dans le vocabulaire des vampires. Et elle ne pouvait pas expliquer tout ça à Holly sans dévoiler l'existence de toute la société vampirique au grand complet.

« Je vais devoir improviser », se dit-elle.

Elle posa ses coudes sur la table et commença à écailler le vernis à ongles *Mauve de minuit* qu'elle avait appliqué sur ses ongles.

— Tu sais, je n'aime pas trop jouer selon les règles. Je préfère donner ma propre signification aux mots. «Mortel» veut dire «totalement génial» dans mon vocabulaire.

— J'aime ça, répondit Holly avec enthousiasme. En fait, continua-t-elle en découvrant la lentille de son appareil photo, j'aime vraiment ton aura. Ce style — elle fit un cadre rectangulaire avec ses doigts — le maquillage, le t-shirt de rocker et les jeans… c'est si… ouvert d'esprit. On voit tout de suite que tu es une grande voyageuse. Est-ce que ça te dérangerait que je prenne quelques photos ?

— Vas-y fort ! acquiesça Olivia en déposant son téléphone sur la table et en tentant de prendre les meilleures poses possibles de dure à cuire.

Certains clients la regardaient d'un drôle d'air, mais elle s'efforça de ne pas se sentir intimidée ni de s'inquiéter que quelqu'un la reconnaisse.

«Sois brave !» se dit-elle en repliant ses bras sur sa poitrine.

Elle contracta ses biceps devant l'appareil photo.

«C'est trop gênant», se dit-elle, reconnaissante qu'Ivy ne soit pas là pour être témoin de cette horrible imposture.

— On essaie autre chose, dirigea Holly. Fais semblant que tu regardes au loin dans le désert africain.

Olivia regarda fixement dans le vide avec un regard sombre… puis faillit sauter au plafond. Brendan était là, de l'autre côté de la fenêtre; il la regardait et semblait en complet état de choc. Olivia ravala sa salive et détourna rapidement le regard.

«Tout va bien aller», se dit-elle pour se rassurer.

Au moins, Holly ne semblait se douter de rien. Elle s'agenouilla sur le plancher en céramique de chez Monsieur Smoothie pour prendre quelques clichés sous un angle différent. Olivia entendait le cliquetis de son appareil, mais elle voyait aussi que Brendan s'approchait rapidement en lui faisant un signe excité de la main. Sa bouche était maintenant asséchée et elle pouvait à peine conserver son sang-froid.

Holly baissa son appareil photo au moment même où Brendan se précipitait à travers les portes.

— C'est fini! dit-elle en rayonnant de plaisir, et je ne peux même pas te dire à quel point j'ai apprécié. Olivia m'avait dit tant de belles choses sur toi; j'avais vraiment hâte de te rencontrer et de prendre quelques photos ! Je veux vraiment lancer ma carrière un jour et je suis persuadée que des sujets aussi intéressants que celui-ci feront toute la différence.

Ses yeux pétillaient.

Brendan, lui, s'approchait de plus en plus, les bras grand ouverts en espérant sans doute recevoir un gros câlin de la part de sa bien-aimée.

— Avoir eu cette exclusivité avec toi est un vrai privilège, continua Holly. Tu n'as aucune idée du service que tu me rends pour espérer gagner le concours d'écriture de voyage.

— C'est mortel, dit Olivia qui peinait désormais à prononcer une seule parole.

Brendan faisait son chemin en direction de la banquette sur laquelle elles étaient assises, les yeux rivés sur le visage d'Olivia.

« Le visage qu'il croit appartenir à Ivy, se dit-elle. Et les lèvres qu'il voudra embrasser seront les siennes. »

Il fallait qu'elle mette fin à tout ça, et vite ! Elle secoua la tête sèchement vers Brendan, qui s'arrêta net en saisissant que quelque chose ne tournait pas rond.

— Aimerais-tu boire un smoothie ? demanda-t-elle à Holly en la prenant par le bras et en la déplaçant afin qu'elle face dos à Brendan. C'est moi qui t'invites !

— Oh oui, merci ! dit Holly en lisant le menu et en tentant de faire un choix parmi la longue liste de boissons fruitées aux noms loufoques. Est-ce que tu pourrais me prendre un Twist et cri ?

Olivia s'empêcha de gémir. Est-ce que ce serait vraiment horrible de sa part de raconter un autre tout petit mensonge et de lui dire qu'il ne restait plus de Twist et cri ? C'est qu'elle n'était pas certaine de pouvoir entendre cette chanson une fois de plus, surtout alors qu'elle était déjà si nerveuse. Le simple fait d'y penser lui donnait des frissons…

Hé Monsieur Smoothie !
J'ai un petit twist !
J'ai un petit CRI !

Mais non, si Holly voulait un Twist et cri, c'est ce qu'elle aurait. Olivia se mit alors en file et fit un signe de la tête à Brendan pour lui dire de s'approcher. Il accourut vers elle comme un chiot excité. Heureusement,

Holly s'était déjà réinstallée dans sa banquette et consultait les photos prises quelques instants plus tôt.

Lorsque le petit ami d'Ivy rattrapa Olivia, elle tendit les bras avec raideur afin de l'empêcher de trop s'approcher.

— Brendan, je…

Son visage était illuminé comme un feu d'artifice.

— Depuis quand es-tu revenue? Pourquoi ne me l'as-tu pas dit? Est-ce que tu es revenue pour de bon ou seulement pour quelques jours? Pourquoi ne voulais-tu pas que je te rejoigne là-bas?

Il ignora ses bras tendus et la prit dans les siens dans un énorme câlin qui n'aurait sans doute pas dérangé la vraie Ivy et sa puissance inégalée, mais qui coupa presque totalement la circulation de la frêle Olivia.

— C'est si excitant! dit-il en humant ses cheveux.

«Oh non! se dit Olivia. Catastrophe!»

— Tu m'as tellement manqué, tu n'as aucune idée.

Il la relâcha enfin. Olivia risqua alors un regard vers Holly, qui avait déposé son appareil photo sur la table et qui les regardait maintenant fixement.

« Ah zut, je n'avais pas besoin de ça », se dit-elle.

Olivia s'efforça à rester de glace lorsque Brendan lui prit la main.

— Je ne suis pas Ivy! lui siffla-t-elle entre les dents.

Brendan perdit immédiatement son sourire.

— De quoi tu parles?

Comment Olivia pourrait-elle lui faire comprendre?

— C'est moi, Olivia! Tu sais, la fille qui t'a aidé à entrer au spectacle des Pall Bearers? J'ai répondu à la question à propos de la troisième ligne de la deuxième chanson du premier album, tu te souviens?

C'était là un détail qu'Ivy ne pouvait pas connaître, et Brendan le savait fort bien. Aussi, il s'approcha pour la regarder de plus près.

— J'arrive pas à y croire... Pendant un instant, j'ai vraiment...

— Je dois continuer à jouer le jeu, l'interrompit Olivia. Holly ne doit pas découvrir ce qui se passe. J'ai joué le jeu afin qu'elle puisse obtenir son entrevue de rêve avec Ivy. Elle s'est inscrite à un concours qui prend fin très bientôt, et elle ne sait pas qu'Ivy est toujours en Transylvanie. Est-ce que tu veux jouer le jeu avec moi?

Il poussa un long soupir et haussa les épaules.

— J'imagine que faire semblant une fois de plus ne devrait pas être trop difficile.

— Merci! s'écria Olivia.

Holly leur sourit en leur envoyant la main, et Olivia fit de même.

Brendan prit des pailles pendant qu'Olivia commandait un smoothie Bleuet beauté bonifiée pour elle, un Cherry-O pour Brendan et un Twist et cri pour Holly.

— Tout de suite! dit la caissière d'un air rayonnant.

Aussitôt que la commande fut donnée, tout le personnel du Monsieur Smoothie — les serveurs, les caissières et tous les autres — sortirent de derrière le comptoir et se mirent à claquer des doigts.

Hé Monsieur Smoothie!
J'ai un petit twist!
J'ai un petit CRI!

Le snack-bar au complet se mit alors à chanter en chœur et Olivia rougit; ce n'était vraiment pas très Ivy-esque de sa part.

Holly, elle, semblait imperturbable. L'obturateur de son appareil photo claquait encore et encore tandis qu'elle prenait des tonnes de photos. Olivia savait que la vraie Ivy aurait préféré se retrouver six pieds sous terre plutôt que de se retrouver dans pareille situation. Elle tenta de commander à son cerveau de dérougir ses joues alors qu'elle se frayait un chemin en direction d'Holly, Brendan sur ses talons.

— Depuis quand tu commandes des Twist et cri, toi? lui demanda Brendan, les yeux pétillants.

— Lorsqu'on est à Rome…, répondit Olivia en distribuant les smoothies.

Brendan prenait vraiment son rôle au sérieux; Olivia se prit une note mentale à l'effet de lui suggérer de s'inscrire au club de théâtre de l'école.

— Est-ce que vous vous connaissez? Brendan, voici Holly; Holly, voici Brendan. Brendan est mon, euh, petit ami.

— J'ai bien vu ça, dit Holly en souriant à pleines dents. J'imagine qu'il ne fait pas des câlins comme ça à tout le monde.

Brendan posa alors son bras sur les épaules d'Olivia.

— Oh, Ivy adore lorsque je suis romantique! dit-il en riant et en embrassant Olivia sur la tempe.

«Ne t'éloigne pas. Ne t'éloigne pas!» s'ordonna-t-elle.

Holly, pour sa part, continuait à prendre des photos d'eux.

— Le rêve d'un jeune amour, dit-elle en soupirant.

Brendan haussa les épaules.

— Ça ressemble pas mal à ça, pas vrai Ivy?

«Qu'aurait fait Ivy dans ce cas? se demanda Olivia. Elle aurait sans doute donné un bon coup de coude dans les côtes de Brendan!»

— Arrête avec ta sentimentalité, grogna-t-elle.

Brendan rit et Olivia commença sérieusement à s'inquiéter. Elle connaissait assez bien Brendan pour savoir qu'il ne pouvait être un comédien si dévoué.

— Alors, Brendan, dit Olivia, savais-tu qu'Holly est une amie *d'Olivia*?

Elle roula les yeux de façon exagérée en direction d'Holly en espérant qu'il saisisse son sous-entendu.

— Tu te souviens bien *d'Olivia*?

Elle souhaitait simplement passer au travers de cette petite crise sans qu'Holly ne détecte quoi que ce soit d'anormal. Après tout, elle ne faisait pas ça pour être hypocrite. Holly l'avait vraiment aidée l'autre jour et elle avait été une vraie amie pour elle. Olivia voulait donc faire quelque chose pour elle en retour et, si elle pouvait réussir à faire croire à Holly qu'elle avait pu prendre des photos d'une gothique aussi cool qu'Ivy, alors ce fiasco en aura valu la peine.

— Alors, Holly, dit Brendan en se penchant vers l'avant, qu'est-ce qui t'amènes à Franklin Grove? Tu habites ici depuis longtemps? Tu aimes?

Mais avant qu'Holly puisse commencer à lui répondre, Brendan lui lança une autre série de questions.

— Est-ce qu'il fait froid d'où tu viens? Que penses-tu de la température ici? C'est bien, non?

«Du calme, Brendan», se dit Olivia.

Il était habituellement si détendu; qu'est-ce qui lui arrivait? Il se déplaçait étrangement sur sa chaise, comme s'il avait un surplus d'énergie à dépenser.

Holly plissa les lèvres, l'air confuse.

— La température? Eh bien, je crois que...

Mais Olivia n'écoutait déjà plus, car elle sentit les doigts de Brendan s'entrelacer dans les siens.

« Il ne fait que jouer son rôle, n'est-ce pas? » se dit Olivia en souriant avec raideur et faisant de son mieux pour ne pas retirer promptement sa main.

Elle baissa les yeux et constata que leurs mains étaient en fait sous la table, ce qui signifiait qu'Holly ne pouvait pas les voir. Et si Holly ne pouvait pas les voir, alors tenir sa main ne faisait pas partie du jeu, ce qui voulait dire... Olivia eut un léger pincement au cœur. Est-ce que Brendan la prenait vraiment pour Ivy? Mais comment était-ce possible? Le bronzage, les vêtements, l'attitude; tout ça ne faisait aucun sens, surtout qu'elle venait tout juste de lui expliquer la situation en détail! Avait-il pu tout oublier si rapidement? Brendan connaissait bien sa petite amie pourtant.

C'est à ce moment qu'elle se rendit compte de quelque chose : la main de Brendan brûlait dans la sienne. Elle savait maintenant que quelque chose ne tournait pas rond : il n'aurait absolument pas dû être aussi chaud qu'une chauffe-rette humaine. Ça ne valait plus la peine d'attendre l'appel de Sophia maintenant; il fallait absolument qu'ils sortent d'ici aussi vite que possible.

— Euh, Holly, dit Olivia en interrompant une explication portant sur les couches d'ozone, la trop grande présence du soleil et la piscine communautaire de Franklin Grove. Je suis vraiment désolée, mais je viens de me souvenir..., continua-t-elle en se frappant le front, que Brendan et moi avons quelque chose à faire. Viens, on ferait mieux d'y aller, conclut-elle en prenant sa main et le forçant à se lever.

Il lui adressa un sourire idiot qui transforma son cœur en un gros bloc de glace; c'était encore pire qu'elle ne l'avait imaginé.

— D'accord! À une prochaine fois alors? dit Holly tandis qu'ils se glissaient hors de leur banquette.

Cette dernière n'avait terminé son Twist et cri qu'à moitié et Olivia avait à peine touché sa boisson, mais elle entraîna néanmoins Brendan hors du Monsieur Smoothie, dans la lumière du soleil, aussi vite qu'elle le put. Il riait tout en se laissant emporter par elle.

— Tu es toujours si impétueuse, Ivy, la taquina-t-il.

— Je suis Olivia, tu te souviens? O-li-via! dit-elle lentement en énonçant clairement chaque syllabe.

À son grand désespoir, Brendan conserva son air confus.

Olivia remonta rapidement la rue en entraînant Brendan derrière elle.

« Qu'est-ce que je vais bien pouvoir faire? » se demanda-t-elle.

Son cœur battait la chamade et elle avait l'impression qu'elle allait manquer d'oxygène. Elle commençait vraiment à paniquer.

« Non mais, regarde-le! » se dit-elle, horrifiée.

Le visage de Brendan était maintenant rouge vif et ses mains étaient complètement moites. Elle se souvint de la façon dont il était devenu rouge et du niveau d'énergie qu'il semblait avoir eu lors du concert des Pall Bearers, mais, cette fois, même sa mémoire semblait flancher! C'était sûrement causé par une étrange maladie qu'elle ne connaissait pas. Elle avait déjà eu une irruption cutanée causée par des orties Bouchées de sang, mais son expérience avec les maladies vampiriques s'arrêtait malheureusement là.

Elle s'immobilisa.

— Y a-t-il une chance pour que tu aies été exposé à un plan d'orties Bouchées de sang par hasard? lui demanda-t-elle.

Le sourire de Brendan s'effaça.

— Pourquoi? Qu'est-ce qui ne va pas?

— Toi, tu ne vas pas! dit-elle en enfonçant un doigt dans sa poitrine.

À sa grande surprise, il recula en titubant sur le trottoir.

— Orties? Bouchées de sang? demanda-t-il en marmonnant. Aïe!

Il venait de foncer dans un mur et se frottait vigoureusement l'épaule. Ses cheveux étaient retombés vers l'avant, lui couvrant les yeux.

— Je crois que tu as peut-être raison, marmonna-t-il. Quelque chose ne va vraiment pas.

Il toucha son front de sa main.

— Nous devons chercher de l'aide, dit Olivia en lui prenant le bras.

Il était vraiment de plus en plus brûlant!

« Mon père biologique saura quoi faire. Il faut qu'il le sache! » se dit-elle en se dirigeant vers la maison de Charles.

CHAPITRE 9

Le dernier cours de la journée venait de se terminer et Ivy frappait sur le plancher en ardoise du bureau de mademoiselle Avisrova à l'aide de ses bottes. Petra n'avait assisté à aucun cours de la journée, et Ivy se demandait ce qui lui était arrivé. Son amie n'avait sûrement rien eu de plus qu'une petite tape sur les doigts, mais elle tenait à s'en assurer. Chose certaine, Avisrova en voulait tout particulièrement à Ivy.

Six portraits dans des cadres dorés étaient accrochés au-dessus de l'antique bureau à pieds en forme de griffes de mademoiselle Avisrova. Chacun d'eux présentait l'image d'une vieille femme différente dans une pose rigide. En outre, les crayons rangés dans une petite boîte de fer avaient été taillés en véritables armes létales et une peau d'ours, plutôt effrayante, servait de tapis. Un cercueil noir poli se trouvait également dans un coin de la pièce ; de toute évidence, mademoiselle Avisrova dormait dans son bureau.

Une photo de classe en noir et blanc, sur laquelle on pouvait voir de jeunes vampires alignés en rangées, les garçons à gauche et les filles à droite, était accrochée au-dessus d'un vieux classeur vernis. Ivy regarda de plus près ; le visage de l'un des garçons lui semblait familier. Ces yeux sombres et doux et ces cheveux lissés vers l'arrière… Il n'y avait aucun doute, c'était son père. Ivy examina les autres visages et reconnut une autre personne. Il y avait là une fille au chignon serré et à l'expression sévère… Était-ce bien Avisrova ?

« Ça, c'est trop bizarre », se dit Ivy.

Ivy se remit à examiner les poignées d'Oxynamon qu'elle avait conservées dans ses poches depuis la veille. Elle espérait qu'elles puissent lui servir d'alibi si jamais on venait à la démasquer. Elle avait prévu raconter qu'elle recueillait des échantillons pour obtenir des points supplémentaires dans son cours de phytologie.

«Comme si quelqu'un allait croire à une excuse aussi stupide», se gronda-t-elle.

Mais elle ne pouvait s'empêcher de penser que toute cette histoire n'était pas entièrement de sa faute. C'est vrai, pourquoi concevoir un parcours à obstacles si on ne voulait pas que quelqu'un tente de le compléter? C'était sûrement au moins autant un défi qu'un moyen de dissuasion, non? Et puis, Avisrova avait mentionné quelque chose concernant la remise de la lettre d'amour de Petra et une coutume; est-ce que ça voulait dire que d'autres jeunes filles avaient déjà réussi à traverser le Gantelet auparavant?

«Oui, c'est sûrement ça», se dit Ivy en freinant le fil de ses pensées.

Après tout, l'Académie Wallachia était une école qui possédait une longue histoire. Comment avait-elle pu penser qu'une jeune américaine tempétueuse pourrait tout bouleverser comme ça, en l'espace de moins d'un an?

«Dans tes rêves, ma vieille», se dit-elle.

Elle ne pourrait pas changer Wallachia, et elle ne voulait pas que Wallachia la change. Ce n'était donc pas le bon endroit pour elle.

La porte du bureau s'ouvrit brusquement. La chauve-souris monstrueuse d'Avisrova entra, se percha sur le bord de la fenêtre et se mit à fixer Ivy. Puis, Avisrova entra dans la salle en se pavanant.

« Je parie qu'elle est ici pour jubiler », se dit Ivy en imaginant toutes les façons dont son enseignante pourrait prolonger sa détention afin de la rendre encore plus pénible.

Avisrova s'assit lentement dans son fauteuil à haut dossier et, lorsqu'elle eut posé ses coudes sur son bureau et son menton sur ses poings, Ivy eut le sentiment que quelque chose avait changé en elle. Elle n'avait pas son habituelle expression de dégoût. En fait, en étudiant la manière dont elle bougeait la bouche et plissait le front, Ivy aurait plutôt dit qu'elle semblait curieuse.

— Dites-moi, dit Avisrova en s'installant plus confortablement dans son fauteuil. Pourquoi avez-vous toujours cette envie constante de défier l'autorité ?

— Je..., commença Ivy, mais Avisrova leva immédiatement un doigt dans les airs pour lui indiquer de se taire immédiatement.

— Et pourquoi, exactement, retirez-vous autant de plaisir à enfreindre les règles?

Avisrova se gratta le menton à l'aide de ses longs ongles sans verni, et Ivy attendit quelques secondes afin de s'assurer qu'elle avait bien terminé de poser ses questions.

— Ce n'est pas que j'aime enfreindre les règles, c'est simplement que, lorsqu'elles sont aussi sévères qu'elles le sont ici... Eh bien, c'est trop facile de ne pas les respecter.

Avisrova sourit. C'était la toute première fois qu'Ivy voyait une expression autre que la colère ou le dégoût sur son visage.

— Tu es exactement comme ton père à ton âge, tu sais, soupira-t-elle.

— Mon père? Vraiment? Vous le connaissiez?

Avisrova fit signe que oui.

— J'étais sa... camarade de classe, dit-elle en détournant le regard.

Ivy plissa les yeux; il y avait quelque chose dans la voix de son enseignante, dans la façon dont elle avait coupé sa phrase, qui lui faisait qu'elle avait essayé de passer un tout autre message avant de choisir les mots «camarade de classe». Pourquoi les vampires ne pouvaient-ils pas simplement dire ce qu'ils pensaient vraiment?

— Si tu as l'intention d'être étudiante ici, Ivy *Lazar*, nous allons devoir te reconvertir et tu devras oublier tes insolentes manières américaines. Wallachia a accepté d'admettre un autre Lazar parmi son illustre corps étudiant, mais pour cela nous devons à tout prix réparer la grave erreur de ton père.

Ivy en eut le souffle coupé.

— Grave erreur?

— Les Lazar sont l'une des dernières grandes familles de vampires de la Transylvanie mais, au lieu de rester ici pour éduquer la prochaine génération comme il se doit, votre père a choisi de vous amener dans un pays étranger, alors que votre place était ici depuis le tout début.

Ivy cligna des yeux.

— Mais si mon père n'était pas parti aux États-Unis, il n'aurait jamais rencontré ma mère.

Elle se rendit compte, en prononçant ces paroles, que cette rebelle décision de son père avait eu un effet déterminant sur leurs vies et sur son existence même.

Mademoiselle Avisrova frappa très fort contre son bureau.

— Exactement! hurla-t-elle.

Mais, aussi rapidement qu'elle s'était emportée, l'enseignante se replia immédiatement, posa ses mains sur ses genoux et reprit un air détendu. Il était cependant trop tard; Ivy avait tout compris. Il y avait eu quelque chose entre elle et son père.

Voulait-elle vraiment connaître la vérité à ce propos? Peu importe, les morceaux du casse-tête commençaient déjà à s'assembler dans son esprit : il y avait donc bien une raison pour laquelle Avisrova s'en prenait toujours à elle et référait à ses «manières américaines» comme si elle était une genre de barbare.

Ivy se sentit soudainement profondément dégoûtée.

«Finissons-en avec cette punition, se dit-elle. Ensuite, je pourrai me sauver de cette horrible femme.»

— Mademoiselle Avisrova, est-ce que cette punition est vraiment en lien avec mon aventure dans la forêt?

Ivy pensait qu'Avisrova sauterait sur l'occasion pour la réprimander. Elle lui avait donné l'ouverture parfaite pour une morale de classe mondiale ; comment pourrait-elle résister ? Néanmoins, elle sembla ignorer totalement son commentaire.

— Je ne vais pas te punir, lui dit-elle en ouvrant le tiroir supérieur de son bureau.

— Ah non ? répondit lentement Ivy.

Ça devait être un piège. Elle observa prudemment Avisrova en tentant de déceler un quelconque tic qui trahirait son mensonge.

— C'est bien dommage, mais non.

Elle prit une mince chaîne en or ornée d'un pendentif en rubis et la remit à Ivy. La chaîne était très froide contre sa peau, et Ivy la regarda fixement, comme si elle s'attendait à ce qu'elle la morde. Elle se disait qu'il devait sans doute s'agir d'un genre de stratagème, l'une de ces punitions déguisées que certains adultes aimaient appeler des « leçons de vie ».

— N'aie crainte, ce n'est pas un piège.

Le demi-sourire d'Avisrova lui donnait un air suffisant.

— Surprise ? C'est ta récompense, lui expliqua-t-elle. Ce rubis a été découpé dans une pierre beaucoup plus grande qui a été récupérée dans la demeure du comte Gregario, l'un des plus vieux vampires de l'histoire et l'un des fondateurs de cette Académie.

— Merci, dit Ivy en refermant ses doigts autour de la chaîne, mais je ne suis pas certaine de comprendre pourquoi je reçois une récompense alors que j'ai enfreint une règle?

— Seules les âmes les plus braves et les esprits les plus ingénieux peuvent naviguer avec succès à travers la forêt de Wallachia et le Gantelet qui y a été créé. Ceux qui réussissent cet exploit sont donc récompensés par cette relique inestimable, un trésor d'une grande importance pour l'histoire de notre communauté. Ce collier est le symbole de votre prouesse physique et mentale. Recevoir ce morceau de rubis du comte Gregario est un très grand honneur. Seulement deux autres étudiants l'ont reçu avant vous, et vous les avez tous deux rencontrés.

Ivy en eut le souffle coupé.

— Est-ce que l'un d'eux est mon père?

Avisrova hocha la tête.

— Oui, Charles était l'un d'eux.

Ivy se creusa la tête. Quel autre vampire qu'elle connaissait aurait bien pu compléter ce parcours? Avisrova demeurait silencieuse, et Ivy eut soudain une illumination.

— Vous ? chuchota-t-elle, incertaine de ce qu'elle avançait. Vous êtes l'autre étudiante ?

Un sourire nostalgique se dessina alors sur les lèvres de son enseignante.

— Karl et moi, c'est-à-dire Charles et moi, nous nous sommes trouvés dans la forêt ; chacun tentait d'arriver de l'autre côté. Karl s'en allait dans une direction et moi dans l'autre. Lorsque nous nous sommes trouvés, par hasard, nous avons échangé des informations sur le terrain. Nous avons tous deux réussi avec l'aide de l'autre. Je ne suis pas certaine que l'un ou l'autre de nous aurait pu passer au travers de tous ces obstacles seul, comme vous l'avez fait.

Ivy tentait d'imaginer son enseignante de bienséance en train d'éviter les fils de détente et de se balancer à travers les arbres. Était-ce bien la même femme qui, la journée précédente, n'avait cessé de lui ressasser l'importance de bien placer son bras lors des danses de salon ? Ivy sentit son attitude envers mademoiselle Avisrova changer doucement.

— Mais... mais... Vous étiez si furieuse contre moi parce que j'avais enfreint la règle! balbutia-t-elle. Mais vous avez fait la même chose à mon âge?

L'enseignante de bienséance pencha la tête sur le côté.

— Furieuse? Ou plutôt impressionnée? Je n'ai jamais dit que ce que vous aviez fait était mal. J'ai dit «Bravo!» et je vous ai applaudie. Vous trouvez que c'est de la désapprobation?

— Mais votre timbre de voix... il était si méchant! protesta Ivy.

Tout à coup, elle se rendit compte qu'elle était debout.

Son enseignante haussa les épaules.

— Une vie entière passée à enseigner à l'Académie a fait en sorte que c'est difficile pour moi de... d'adoucir ma façon d'être. Je m'en excuse. Je ne veux pas que chaque étudiant sache les défis qui se trouvent au cœur de Wallachia. Si peu sont capables de les relever que je ne veux pas que mes étudiantes soient déçues. Mais vous... Je savais que vous étiez différente, que vous aviez de l'esprit.

Ivy pouvait s'imaginer ce que Brendan aurait répondu à ça: «Oh oui, Ivy a de l'esprit, sans aucun doute».

Elle se demanda ce que son petit ami faisait en ce moment et elle sentit une grande vague de nostalgie monter en elle.

— L'amour n'est pas invincible, continua mademoiselle Avisrova.

On aurait presque dit qu'elle lisait dans ses pensées. Ou peut-être pensait-elle à son père ?

— L'amour est parfois fragile.

— Ça, je le sais, dit Ivy. Ma sœur, Olivia, était folle de son petit ami ; elle avait une véritable histoire d'amour hollywoodienne. Sérieusement, c'était comme dans *Cendrillon*. Mais la distance entre eux…

La voix d'Ivy s'éteignit. Elle savait que si elle continuait à parler, elle commencerait à se demander ce que l'avenir leur réservait, à Brendan et à elle. Ivy était pourtant toujours raide dingue de son petit ami, mais il y avait tout de même un océan qui les séparait et elle ne disposait malheureusement pas d'un avion privé comme Jackson pour pouvoir se transporter de l'autre côté aussi souvent qu'elle le souhaitait.

— Donc, alors… euh… Eh bien, merci, termina-t-elle en saisissant sa poignée d'Oxynamon et en faisant glisser sa chaîne à rubis dans la poche de sa jupe.

Sa main était sur la poignée de porte lorsqu'elle entendit Avisrova dire : « Nos regards se sont rencontrés pour la première fois sur le terrain de polo ».

Son enseignante avait déjà ressorti un ancien album de photos du tiroir de son bureau et elle le feuilletait rêveusement. Ivy relâcha son souffle et revint s'asseoir près d'elle. *Beurk.* Elle n'avait aucune envie d'entendre parler des anciennes histoires d'amour de son père. Olivia aurait été beaucoup plus excitée qu'elle à cette idée, mais elle ne pouvait non plus se résoudre à laisser Avisrova seule avec ses souvenirs.

« Je resterai juste un peu », se dit-elle en caressant du bout des doigts le bijou qu'elle lui avait offert.

Elle ne pouvait s'empêcher d'être fière de ce qu'elle avait accompli dans la forêt, et même Avisrova avait reconnu son exploit. Le moins qu'elle pouvait faire maintenant était de prendre le temps d'écouter son histoire.

Une heure plus tard, Ivy était assise dans son cercueil ouvert, son ordinateur portable sur les genoux. Son estomac gargouillait : les réminiscences de son enseignante s'étaient éternisées et, lorsqu'elle avait enfin terminé de lui raconter la fois où Charles et elle avaient remporté la course à trois pattes de l'Académie, Ivy s'était précipitée à toute vitesse jusqu'à la cafétéria pour constater que le personnel avait déjà débarrassé les tables et fermé boutique.

« Heureusement, je n'ai pas manqué grand-chose », se dit-elle.

Le pain de viande au ketchup infusé de sang accompagné de petits pains fourrés au plasma n'était pas exactement son plat préféré.

Ivy frotta ses pieds contre la douce doublure en velours rouge de son cercueil. Pourquoi n'y avait-il personne en ligne sur *Écho solitaire* ? Elle rafraîchit l'écran de sa liste d'amis dans la barre d'outils, mais aucun nom familier n'apparut comme étant « disponible ». Ivy navigua sur le *World Vide Veb* pour lire quelques-uns de ses blogues préférés : *Vampire Vintage* et *Jeunes de Transylvanie*.

Après avoir découvert tout ce qu'elle pouvait lire concernant le dernier film d'Harker, *Soleil Couchant*, ainsi que tous les secrets de maquillage des acteurs, Ivy revint à *Écho solitaire*. C'était vraiment bizarre que tous ses amis soient absents et, pire encore, sa boîte de réception était aussi vide qu'une ville fantôme. Il se passait sûrement quelque chose de gros à Franklin Grove, ça ne pouvait être que ça. Quelque chose de gros dont Ivy ne savait rien.

« Mais quoi au juste ? » se demanda-t-elle.

Sa poitrine palpitait. Elle essayait de combattre ce sentiment depuis longtemps, mais il fallait qu'elle se l'avoue : Ivy se sentait totalement déconnectée en étant si loin de chez elle. Sans Olivia, c'était comme s'il lui manquait son autre moitié et, sans Brendan, c'était comme si une partie de son cœur se trouvait de l'autre côté du globe.

Ce n'était pas qu'un simple mal du pays, ni le fait que cette école était un peu trop snob à son goût, mais plutôt que cet endroit ne lui ressemblait en rien. Ivy Vega ne portait pas de cardigans à torsades, n'avait pas peur de parler aux garçons et elle ne mangeait pas ses hamburgers avec une fourchette et un couteau de style baroque.

Elle avait pensé que ce serait cool de connaître ses racines vampiriques, mais les règles de l'école étaient si sévères qu'elle n'avait presque pas pu passer de temps avec ses grands-parents.

« Et j'aimerais bien savoir quelles racines sont plus importantes que celles de mon arbre généalogique… » se dit-elle.

Quel était le but recherché dans tout ça ? Ivy se reposa la tête contre son cercueil. Elle n'avait même pas réussi à se faire de vrais amis ici.

Des bruits de pas précipités se firent alors entendre dans le corridor. Ivan commença à agiter frénétiquement ses ailes et Ivy faillit bondir hors de son cercueil.

— Ivy ? Ivy ? dit Petra en entrant dans la chambre, à bout de souffle.

— Ici, répondit-elle en lui faisant un signe de la main.

Petra portait un sac à dos sur ses épaules. Elle le retira, le retourna et le secoua violemment : des contenants en plastique remplis de nourriture s'éparpillèrent alors sur le plancher. Petra s'agenouilla et commença à les trier.

— Je ne savais pas ce que tu aimerais ! dit-elle distraitement.

Elle semblait affolée par l'éventail de sandwiches, de gâteaux, d'entrées et de pâtisseries.

— J'ai pris tout ce que j'ai pu.

Ivy rit.

— Tu ne vas pas avoir à vivre avec de graves conséquences pour ça ? lui demanda-t-elle.

— Tu veux rire ? rétorqua Petra en lui remettant une tranche de gâteau au chocolat et une fourchette. Après ce que tu as fait pour moi, je te dois tout. Ivy Vega, tu es la fille la plus brave et la plus généreuse que je connaisse. Tu as réussi à traverser le Gantelet, je m'incline devant toi !

Petra fit tout un spectacle en exécutant des révérences exagérées comme si elle vénérait totalement Ivy.

— OK. Assez, assez, ricana-t-elle en sentant son visage se réchauffer. J'ai compris !

Petra se rassit sur ses talons.

— Etan m'a renvoyé une lettre d'amour, tu sais ! Une magnifique lettre d'amour ! Tiens, je vais te la lire.

Petra toussota deux fois et déplia une lettre froissée, puis commença à lire :

La plus belle de toutes les fleurs, ma Petra.

Mon cœur désire ardemment le moment où nous pourrons être près l'un de l'autre. Tu es la pointe effilée de mes crocs. Le vent sous mes ailes de chauve-souris. La pierre tombale de ma crypte. Je t'aime.

Je suis à toi à jamais et pour toujours,

Etan

Petra serra le précieux papier contre son cœur en se balançant d'un côté et de l'autre.

— Est-ce que tu peux croire ça? N'est-ce pas la chose la plus romantique que tu aies jamais entendue? demanda-t-elle à Ivy.

«Beurk» se dit-elle, heureuse que sa bouche soit si pleine de gâteau qu'elle ne puisse parler. La lettre était beaucoup trop fleur bleue à son goût, mais bon, chacun son truc!

— Je sais, moi aussi j'étais sans mot, dit Petra en posant une main sur son épaule. Mais il m'aime! C'est officiel, il m'aime lui aussi! Et rien de tout ça ne serait arrivé si tu n'avais pas réussi à traverser le Gantelet.

Ivy la serra dans ses bras.

— Merci d'avoir pensé à moi. Je pensais que j'allais mourir de faim!

— Pas de problème, dit Petra, rayonnante de bonheur. Maintenant, excuse-moi..., conclut-elle en faisant battre ses cils, mais il faut que j'aille encadrer ça!

Elle se précipita hors de la chambre en agitant sa lettre d'amour au-dessus de sa tête, et Ivy la regarda partir. Finalement, Petra était une bien meilleure amie que ce qu'elle avait d'abord imaginé. Il semblait bien qu'elle ne tenait pas simplement à l'utiliser comme couverture, mais qu'elle lui était sincèrement reconnaissante pour son aide.

«Peut-être que cet endroit n'est pas si mal après tout», se dit Ivy en remontant dans son cercueil à nouveau.

Elle était sur le point d'éteindre son ordinateur portable lorsqu'elle entendit un bip sonore en provenance d'*Écho solitaire*. Enfin!

Elle cliqua sur l'écran et vit apparaître le visage d'Olivia, pâle et blême.

— Ivy, dit-elle, je suis si contente de t'avoir attrapée !

Quelque chose dans sa voix fit nouer l'estomac d'Ivy.

— J'ai bien peur d'avoir de mauvaises nouvelles...

CHAPITRE 10

Olivia allait avoir besoin de l'équivalent d'une semaine de traitement de crème Beautélicieuse pour enlever les cernes qu'elle avait sous les yeux. Elle s'approcha du miroir et tâta les deux cernes noirs, puis recula et jeta un coup d'œil à ceux qui l'entouraient ; ils n'avaient certes pas meilleure mine. Elle était pelotonnée dans un fauteuil chez son père biologique tandis que Brendan dormait et bavait sur le divan en soie. Ses parents, quant à eux, ronflaient sur une causeuse étroite.

Ils n'avaient pas fermé l'œil de la nuit. Le premier instinct d'Olivia avait été d'emmener Brendan à l'hôpital, mais elle s'était rapidement souvenue qu'elle ne pouvait absolument pas emmener le petit ami de sa sœur dans un établissement lapin, car cela risquerait d'exposer le secret de leur communauté au reste du monde.

Au lieu de cela, Olivia avait réussi à traîner Brendan chez les Vega, où Charles avait pu l'examiner et confirmer sa pire crainte : Brendan était gravement malade. Il avait insisté pour qu'il passe la nuit chez lui, puisque sa maison était la plus grande et que tout le monde y serait plus confortable. Qui plus est, il avait une pharmacie vampirique bien garnie, même si cela ne semblait pas beaucoup aider pour le moment.

Brendan était inconscient depuis des heures. Le seul signe de vie qu'il avait donné avait été un léger mouvement de doigts. Son teint avait toujours ressemblé à celui d'un cadavre pour Olivia ; ça n'avait évidemment pas changé. Mais de le voir couché là, sans défense ? Olivia pensait que même Ivy aurait eu peur de le voir ainsi. Elle avait raconté tout ce qu'elle avait pu à sa sœur sur Internet : que Brendan semblait être malade, mais qu'ils s'occupaient tous de lui. Cependant, elle lui avait épargnée la gravité apparente de sa maladie.

« Que pourrait-elle faire à partir de la Transylvanie de toute façon ? » s'était-elle dit.

Olivia sentait l'odeur du bacon en train de frire et des gaufres en train de cuire. Charles préparait le déjeuner dans la cuisine, mais elle doutait que qui que ce soit ait vraiment faim en ce moment. Elle se serra l'estomac et se balança doucement dans son fauteuil. Elle était malade d'inquiétude pour Brendan — littéralement !

Mais ce qu'elle trouvait le plus difficile était le fait qu'elle avait remarqué que les choses n'allaient pas bien pour lui depuis quelques jours déjà : les plaques de peau grise, la fièvre, la rapidité à laquelle il parlait. Malgré tout, elle n'avait pas réussi à faire de rapprochement plus tôt et, maintenant, elle se sentait horriblement coupable de ne pas lui avoir posé plus de questions.

Elle regarda Brendan dormir et, même si elle savait que c'était un peu ridicule, elle se croisa les doigts, se ferma les yeux très forts et formula un souhait : « Faites qu'il aille bien ! » Elle tenta de se redonner le moral en se disant que personne d'autre n'avait deviné ce qui n'allait pas chez lui. Comment donc aurait-elle pu, en lapine qu'elle était, deviner qu'il souffrait d'une quelconque maladie vampirique? Elle était peut-être liée aux vampires par le sang, mais leur système immunitaire et son fonctionnement dépassait de loin le domaine de ses compétences.

Quelqu'un sonna à la porte et une musique d'orgue classique résonna sombrement dans le grand corridor.

— Olivia, peux-tu répondre? dit Charles en sortant de la cuisine avec une spatule graisseuse dans les mains.

— J'arrive! répondit Olivia en courant vers la porte d'entrée.

En l'ouvrant, elle vit Holly qui se tenait là, les mains sur les hanches.

— Bonjour, Olivia, lui dit-elle sèchement.

— Euh, salut…

Il était évident que quelque chose ne tournait pas rond, mais quoi exactement? Elle avait pourtant retiré les vêtements d'Ivy et son stupide maquillage, mais Holly semblait tout de même étrangement tendue. Tout allait pourtant bien lorsqu'«Ivy» avait quitté le Monsieur Smoothie la veille. Était-elle fâchée qu'Olivia ne se soit pas présentée?

— Euh, comment as-tu trouvé la maison ? demanda-t-elle, certaine de ne pas en avoir donné l'adresse à Holly.

— Oh, tu sais, j'ai posé des questions, répondit Holly en faisant balancer ses longs cheveux aux mèches rouges par-dessus une épaule. Je suis bonne pour ce genre de choses.

— OK… Eh bien, je suis contente de te voir, mais ce n'est pas vraiment le bon…

— Je voulais simplement ramener le téléphone d'Ivy, dit Holly en agitant le téléphone cellulaire d'Olivia devant son visage.

Olivia sentit ses yeux s'écarquiller ; elle avait été si pressée de sortir Brendan du Monsieur Smoothie qu'elle en avait oublié de récupérer son téléphone sur la table, ce qui voulait dire que…

— J'ai eu une conversation très intéressante avec une certaine Sophia, poursuivit Holly en levant un sourcil suspicieux dans les airs. C'est drôle, mais elle semblait penser qu'elle t'avait appelée toi, et non Ivy.

La bouche d'Olivia s'assécha, et Holly lui adressa un sourire sarcastique.

— J'imagine qu'Ivy et toi êtes à ce point identiques que même vos numéros de téléphone se ressemblent, pas vrai ?

— C'est bien ça, dit une voix familière derrière Holly. Il n'y a qu'un seul chiffre de différence, nos amis se trompent tout le temps.

Olivia regarda derrière Holly et vit qu'Ivy montait les marches en pierres du manoir de son père tout en levant ses yeux lourdement maquillés au ciel.

— C'est vraiment agaçant! conclut-elle.

Olivia était bouche bée et dut résister à l'envie de courir vers sa sœur pour la prendre dans ses bras.

— Hé, Ivy, dit-elle plutôt en tentant de garder son calme, je ne t'attendais pas si... rapidement.

C'était peu dire considérant le fait qu'Olivia ne s'attendait pas du tout à ce qu'Ivy rentre à la maison aujourd'hui.

Elle portait un lourd sac à dos et un sac en paille duquel les longues vrilles d'une plante à l'allure exotique dépassaient. Un éblouissant collier en or orné de rubis scintillait à son cou. Olivia se prit une note mentale à l'effet de lui demander où elle l'avait eu lorsque le tout se serait calmé.

Ivy sourit à Holly.

— Contente de te revoir, lui dit-elle.

« Merci mon Dieu pour l'ouïe des vampires », se dit Olivia en comprenant qu'Ivy avait dû entendre sa conversation tandis qu'elle arrivait par le sentier.

— J'aimerais bien rester plus longtemps avec vous, mais mon père a besoin de moi à l'intérieur, continua-t-elle en prenant délicatement le téléphone d'Olivia de la main d'Holly. Merci de me l'avoir rapporté.

Alors qu'Ivy disparaissait dans la maison, elle fit un clin d'œil discret à Olivia, puis cette dernière l'entendit dire : « Papa, est-ce qu'on a de la lavande ? »

— Oh mon Dieu, je suis tellement désolée !

La bouche d'Holly était ouverte dans une expression d'effroi indescriptible.

— Je... je ne vous avais jamais vues ensemble et j'ai cru que peut-être tu étais une de ces cinglées qui rêvait d'avoir une jumelle, ou pire encore, une espèce de maître farceuse. Je ne voulais pas... Je veux dire, j'ai simplement pensé que... Je pensais que tu te moquais de moi ! fit finalement Holly en enfouissant son visage dans ses mains.

Lorsqu'elle le découvrit, ses yeux brillaient de larmes.

— La seule raison pour laquelle j'ai été si dure à propos de l'histoire du téléphone, c'est que je pensais que tu avais été cruelle avec moi, dit-elle en relevant le menton et en essuyant le mascara qui avait coulé sous ses yeux. Je ne me laisse pas marcher sur les pieds en général et, eh bien… j'étais tellement convaincue d'avoir raison.

— Ça va, Holly, dit Olivia en lui donnant de petites tapes dans le dos. Je te comprends tout à fait. Et puis, je connais justement quelqu'un qui est exactement comme ça, alors ne t'en fais surtout pas. Promis.

Si seulement Olivia pouvait dire la vérité à Holly ! Elle avait simplement voulu l'aider en procédant à ce désastreux échange. Toutefois, il y avait très longtemps de cela, Ivy avait enfreint la règle vampire la plus importante de toutes, la première Loi de la nuit (Tu ne révéleras pas ta vraie nature à un étranger) afin que sa sœur et elles puissent devenir plus proches, et Olivia n'allait certainement pas être celle qui risquerait de révéler son secret à qui que ce soit.

Qui plus est, tout allait bien maintenant entre Holly et elle, alors pourquoi faire des vagues ? Peut-être qu'elles pourraient repartir à zéro après tout.

Elle sourit à Holly.

— Je suis désolée, mais je dois vraiment y aller. Nous sommes au beau milieu d'une… urgence familiale.

Olivia se mâchouilla la lèvre en grimaçant intérieurement à l'idée de raconter un autre mensonge… enfin pas tout à fait.

« Mais c'est le dernier, promis ! » se dit-elle.

Elle était heureuse de s'être fait une nouvelle amie, mais si elle avait appris une seule chose au cours de ces derniers jours, c'était à quel point Ivy était importante pour elle.

— Mais oui, bien sûr ! s'exclama Holly.

Elle sourit et se retourna vers le sentier.

— À plus. Et encore une fois, je m'excuse.

Olivia referma la porte, heureuse d'avoir réussi à patiner tout en gardant cette nouvelle amitié intacte.

À l'intérieur, Olivia trouva Ivy agenouillée aux côtés de Brendan, la main sur son front. Olivia n'avait pas vu sa sœur aussi inquiète depuis qu'elle avait elle-même été malade au mariage royal.

— Ivy? dit doucement Olivia en frottant le dos de sa jumelle.

Cette dernière se retourna, prit la main d'Olivia et se releva. Elles se firent un immense câlin et, à ce moment-là, Olivia souhaita ne plus jamais laisser sa sœur repartir.

— Il y a quelque chose que je dois faire pour Brendan dans la cuisine, dit-elle en brisant rapidement leur étreinte et en lançant un dernier regard vers son petit ami avant de retirer une plante feuillue de sa poche. Peux-tu aller me chercher un bol?

Olivia, heureuse de pouvoir enfin faire quelque chose d'utile, la suivit dans la cuisine, se précipita vers une armoire et en ressortit un grand bol à mélanger en argent.

Ivy parsema la drôle de plante dans le bol et commença ensuite à l'écraser en y ajoutant de la lavande. Charles et Olivia la regardaient travailler.

— C'est quoi, cette plante? lui demanda Olivia en reniflant le mélange.

— C'est de l'Oxynamon, répondit Ivy en enfonçant son pilon encore davantage dans les feuilles.

Olivia en pressa un petit peu entre ses doigts.

— Oxy-quoi ?

Ivy donna une petite tape sur la main de sa sœur, qui laissa retomber ce qu'elle tenait dans le bol.

— Avant de partir, j'ai parlé des symptômes de Brendan à Helga. Elle est maintenant enseignante de phytologie à Wallachia, et c'est ce qu'elle m'a recommandé.

— Pour quelle maladie ? demanda Olivia en regardant Ivy saupoudrer d'autres fleurs de lavande dans son bol.

— Il paraît que les symptômes de Brendan sont des signes classiques d'une maladie des plaquettes. Il l'a probablement attrapée en mangeant quelque chose contenant trop d'agents de conservation artificiels. Ça peut être très sérieux pour un vampire.

Ivy secoua le bol pour bien mélanger les ingrédients.

— Mais oui ! dit Olivia en se frappant la tête de sa main. Il y a quelques jours, Brendan m'a dit qu'il avait eu mal au ventre après avoir mangé une barre Taureau.

Olivia frissonna en se souvenant de l'odeur nauséabonde de la barre.

— Comment quelqu'un pourrait-il s'attendre à mettre un tel truc dans sa bouche

sans tomber malade de toute façon ?
ajouta-t-elle.

Ivy hocha la tête.

— On dirait bien que tu as trouvé le
coupable. Les produits énergétiques sont
grandement transformés et contiennent
une grande quantité d'ingrédients artificiels. Le système de Brendan ne pouvait probablement pas bien les digérer ; il
aurait dû s'en douter.

Olivia siffla.

— Qui es-tu et qu'as-tu fait de ma
sœur ? la taquina-t-elle. Tu es devenue un
véritable génie !

Charles quitta la cuisine un instant
et revint avec une barre Taureau dans les
mains.

— Est-ce que c'est ce que Brendan a
mangé, Olivia ? demanda-t-il.

— Oui ! Où as-tu pris ça ?

— J'ai regardé dans les poches de la
veste de Brendan et j'ai vu qu'il y en avait
une. Qui sait combien il en a mangé, dit
Charles en lisant l'étiquette. Ça contient de
l'oxymistine.

— Qu'est-ce que c'est exactement ?
demanda Olivia. Je me souviens que
Brendan en avait parlé comme s'il s'agissait

de quelque chose d'à la fois bon pour les humains et pour les vampires.

— C'est un produit chimique qui donne de l'énergie aux vampires, de la même façon que les humains ont un coup de fouet lorsqu'ils prennent de la caféine. Ça devrait être inoffensif, mais à voir l'état de Brendan, ces barres doivent contenir beaucoup plus que le 1,4 gramme indiqué sur l'étiquette.

Il développa la barre et en brisa un morceau pour mieux l'étudier à la lumière.

— Mmh, c'est très suspect, dit-il.

— Ne t'en fais pas avec ça tout de suite, détective papa, dit Ivy en lui faisant un clin d'œil. Le remède sera prêt d'un instant à l'autre.

Elle prit une autre pincée de lavande et l'ajouta au mélange en humant l'arôme.

Olivia sourit.

— Je me souviens de la façon dont tu m'as guérie lorsque j'étais en... Attends une minute ! Nous n'avons pas encore discuté de la raison pour laquelle tu es revenue à Franklin Grove. Tu es supposée être... Et maintenant tu es... Mais comment as-tu...

Elle secoua la tête et leva les mains dans les airs.

— Qu'est-ce qui se passe au juste?

— Je te promets de tout t'expliquer après avoir guéri Brendan, dit Ivy en prenant le bol sous son bras.

— Est-ce que tu le savais? demanda Olivia à Charles, dont les yeux se plissèrent légèrement.

— Il fallait bien que j'achète son billet d'avion, non? commença-t-il à expliquer. Ivy m'a appelé hier soir pour me dire qu'elle voulait revenir à la maison, alors la voici.

Olivia, stupéfaite, regardait la porte de cuisine se balancer doucement.

«Je me fiche de la raison qui l'a fait revenir, tant qu'elle est revenue. Ma vie est trop triste quand elle n'est pas là!» se dit-elle.

★ 🦇 ★

Ivy s'assit sur le bord du canapé en tenant la main de Brendan. Elle avait eu peine à croire à quel point il avait été si fiévreux auparavant, mais sa peau était déjà beaucoup plus fraîche. Ivy contempla son visage de marbre et ses cheveux foncés ébouriffés qui effleuraient ses joues tandis qu'il dormait paisiblement. Sa fossette au menton était aussi adorable que dans ses souvenirs, bien qu'elle ne l'aurait jamais admis à qui que ce soit. Ivy était si heureuse de le voir qu'elle ne comprenait pas comment elle avait réussi à lui dire adieu au départ.

Il ne se réveillerait que dans quelques heures, ce qui était tout à fait parfait parce que son cerveau, souffrant de décalage horaire, avait encore beaucoup de choses à absorber. Heureusement, les parents de Brendan étaient allés se reposer dans l'une des chambres, alors elle n'avait pas à s'inquiéter de devoir discuter poliment avec qui que ce soit.

— Alors, tu es certaine que tu vas bien ? demanda-t-elle à Olivia qui était assise, les jambes croisées, sur le tapis oriental de leur père.

Charles avait apporté trois tasses fumantes de chocolat chaud savoureux. Il souffla sur les tasses pour essayer de les refroidir.

— Oui ! répéta Olivia. Je te l'ai dit, la rupture était vraiment mutuelle. Jackson...

Olivia s'arrêta lorsqu'elle mentionna son nom.

— Jackson est vraiment un bon gars et nous resterons toujours amis. Et je suis sûre d'une chose : nous avons rendu des milliers d'admiratrices très heureuses !

Il fallait bien qu'Olivia voie le bon côté des choses.

— Mais je n'étais pas là pour…, protesta Ivy.

— J'ai survécu, la rassura Olivia. Et de toute façon, c'est sur le grand jour de papa qu'on devrait se concentrer ! Tu te souviens ? L'histoire du mariage ?

— Ce n'est pas que mon grand jour, dit Charles en flattant doucement la tête d'Olivia. Ce sera un grand jour pour nous tous. Nous allons avoir une nouvelle Vega avec nous.

Il secoua légèrement le mince tiroir de la table basse et en sortit une revue appelée *Mariée vampire*. Il l'ouvrit à une page où l'on voyait une vampire mince en robe de mariée ajustée qui chevauchait un chameau tout près des pyramides.

— Que penses-tu de ça, Ivy ? lui demanda-t-il.

— Je pense… Hourra, encore de la planification de mariage, mon activité préférée ! ironisa Ivy.

Olivia lui lança un coussin au visage.

— Hé, attention ! C'était une blague !

Ivy était bien sûr ravie que son père ait décidé de se marier avec Lillian. Elle s'était inquiétée toute sa vie que son père ne trouve jamais quelqu'un qu'il aimerait autant que sa mère. Mais, depuis qu'il avait retrouvé Olivia, leur famille n'arrêtait plus de s'agrandir et de s'améliorer. Les joues d'Ivy n'était pas habituées à sourire autant, mais elle ne pouvait s'en empêcher, même si son visage commençait à lui faire mal.

Comment avait-elle pu penser qu'elle pourrait vivre ailleurs qu'à Franklin Grove? Elle regarda son père, puis Olivia, et finalement Brendan.

«Oui, ma place est ici», se dit-elle.

Charles lui donna une tasse de chocolat chaud.

— Tu sais, certaines personnes à l'Académie pourraient se poser de sérieuses questions à propos de ton départ, dit-il en prenant une gorgée de sa boisson chaude. Et je suis pas mal certain que tes grands-parents seront plutôt contrariés. C'était leur rêve que tu étudies à Wallachia.

— Je sais, dit Ivy en rapprochant ses genoux de sa poitrine. Mais ce n'était pas mon rêve à moi.

Charles hocha la tête pensivement.

— Et je suis très fier que tu aies donné une chance à cette école et que tu aies pris ta propre décision.

— D'ailleurs, j'ai rencontré une de tes anciennes camarades de classe, papa, dit Ivy en regardant attentivement le visage de son père pour évaluer sa réaction. Alexandra Avisrova.

Même maintenant, Ivy pouvait à peine prononcer ce nom sans frissonner.

— Ah oui, dit Charles, le visage lisse, serein, mais pensif. Alexandra. Elle était… une de mes bonnes amies à l'école, oui. Nous ne sommes malheureusement pas restés en contact.

Ivy voulut insister pour obtenir plus de détails, mais elle sentait que son père n'allait pas lui en donner. C'était probablement la chose la plus gentille à faire pour la pauvre mademoiselle Avisrova, alors elle changea de sujet.

— Et mes grands-parents ? Seront-ils déçus de moi ? C'est ce qui a été ma plus grande peur en quittant Wallachia.

— Tes grands-parents comprendront. Ils veulent ce qu'il y a de mieux pour toi.

— Absolument, dit Olivia en prenant une grande cuillerée de mini guimauves pour les déposer dans sa tasse. Et, de toute façon, on dirait que l'Académie a déjà fait son travail.

— Qu'est-ce que tu veux dire ? lui demanda Ivy.

— Regarde ton intérêt pour la médecine vampirique ! Je vois déjà ça d'ici : Ivy Vega, docteure vampire.

Olivia applaudit avec excitation.

— Oh ! Ça ferait une excellente série télévisée, ajouta-t-elle.

Charles et Ivy se mirent à rire.

— OK, mais pour l'instant, je crois que je vais me contenter de « Ivy Vega, étudiante à Franklin Grove ».

— Quel soulagement, dit Olivia en souriant à pleines dents.

Charles leva sa tasse et porta un toast :

— À la famille, dit-il.

Ivy s'approcha et ils trinquèrent avec leurs tasses. En entendant ça, les cils de Brendan se mirent à bouger.

— Ivy ? marmonna-t-il. Est-ce qu'Ivy est en Transylvanie ?

Brendan cligna des yeux sous l'effet de la forte lumière. Ivy se pencha et embrassa son front humide.

— Non, elle est à la maison, dit-elle. Et elle promet de ne plus jamais, jamais repartir.

NE MANQUEZ PAS LE TOME 12
SOUS SURVEILLANCE

À PROPOS
DE L'AUTEURE

Sienna Mercer vit à Toronto, au Canada, avec ses deux chats, Calypso et Angel. Elle écrit la plupart de ses livres dans son grenier, entourée de photos prises lors de ses voyages. Elle n'a pas de jumelle, mais elle a toujours voulu en avoir une.

www.ada-inc.com
info@ada-inc.com

 www.facebook.com/EditionsAdA

 www.twitter.com/EditionsAdA